Introducción

En equipo.es es un curso dirigido a todos aquellos estudiantes que desean aprender español dentro del ámbito específico de los negocios. Se divide en tres niveles: inicial, intermedio y avanzado, que corresponden a los siguientes niveles del *Marco común europeo de referencia para las lenguas:*

- Nivel elemental: **niveles A1 y A2** del *Marco.*

- Nivel intermedio**: nivel B1 del** *Marco.* Nivel cuyos contenidos coinciden con los contenidos especificados para el **Certificado Básico de la Cámara de Comercio e Industria de Madrid** y el **Diploma Intermedio de Español de los Negocios de la Cámara de Comercio de Barcelona.**

- Nivel avanzado: **nivel B2** *del Marco.*

Cada nivel se compone de:

- **Libro del alumno.** Al final de cada unidad se incluyen las **páginas de Hispanoamérica**, en las cuales se presentan los contenidos de la unidad en clave hispanoamericana contextualizados en una historia protagonizada por un estudiante de español de nacionalidad brasileña, Rodrigo Dos Santos Moreira, un empresario que quiere expandir su negocio en Argentina y México. El Sr. Dos Santos es ayudado por su profesora española, Fernanda, en todas aquellas dudas que le surgen al entrar en contacto con sus socios, empleados, etc., en sus viajes por Argentina y México. Al final del *Libro del alumno* se encuentra un **Apéndice gramatical.**

- **Libro de ejercicios** con uno o dos CD, y en el que además de actividades de apoyo, se incluye en cada unidad una propuesta para que el alumno pueda valorar su proceso de aprendizaje y mejorar sus estrategias de aprendizaje, es el apartado "En resumen". También se incluyen las **Claves** y **Transcripciones** de todo el material audio, un **Apéndice con direcciones** *web* y un **Glosario.**

- **Libro del profesor.**

El **Libro del profesor** es una guía pormenorizada del *Libro del alumno,* con la siguiente estructura para cada actividad:

- Breve descripción de los objetivos.

- Instrucciones sobre la secuencia establecida en las actividades y cómo desarrollarla con éxito en el aula (incluidas las páginas de Hispanoamérica y la tarea final), así como nuevas y sugerentes propuestas que ayudan a consolidar los contenidos estudiados. Se incluyen comentarios sobre diferentes aspectos socioculturales que conviene trabajar con los estudiantes, junto con propuestas para su presentación y **referencias a páginas** *web* para que el profesor o el estudiante puedan ampliar la información proporcionada en la unidad. Esta información se acompaña de referencias para integrar el *Apéndice gramatical* y sacar el máximo rendimiento a cada una de los apartados de las actividades.

- Referencias a las actividades del libro de ejercicios que pueden completar y consolidar los contenidos trabajados a lo largo de la unidad del *Libro del alumno*.
- **Fichas: fotocopias y transparencias**. Láminas preparadas para llevar al aula y completar la dinámica de explotación que sugerimos para cada actividad (pueden ser bien de presentación de contenidos, de sistematización de aspectos formales de la lengua o nuevas dinámicas para integrar diferentes estilos de aprendizaje).

- **Un test de 20 preguntas con sus soluciones** cierra cada una de las unidades. Diez de las preguntas son de opción múltiple y en las otras diez el estudiante tendrá que completar escribiendo la solución correcta.

También en el libro del profesor, se ha desarrollado una propuesta de **Agenda del profesor.** Su objetivo es que el profesor encuentre un lugar en el que anotar cómo ha transcurrido la puesta en escena de cada unidad y sus actividades, describir los elementos que le han ayudado a preparar la clase, el tiempo que ha llevado su realización, la reacción de los estudiantes, etc. De esta forma, tendrá un apoyo para mejorar la preparación de próximas sesiones y podrá anticipar posibles problemas de los estudiantes. Esta agenda le será útil para preparar la sesión de trabajo en el aula y también para finalizarla, como apoyo a la autoevaluación del profesor en el transcurso de la misma. Las páginas que aquí incluimos son para ser fotocopiadas tantas veces como unidades o sesiones tenga con sus estudiantes.

Sin más, esperamos que este material sea realmente una ayuda y estaremos encantadas de recibir propuestas a través de la editorial e incluirlas en próximas ediciones.

Olga Juan
Ana Zaragoza

Enequipo_es@hotmail.com
edinumen@edinumen.es

Índice

Unidad

Información general

Fecha: ....
Grupo (nombre y perfil): ....
Aula: ....
Previsión de la cantidad de sesiones que necesitaré para trabajar toda la unidad didáctica: ....

Antes de entrar en clase

- Durante esta unidad necesitaré...
  - ☐ Cinta audio: ....
  - ☐ Rotuladores: ....
  - ☐ Retroproyector: ....
  - ☐ Transparencias: ....
  - ☐ Fotos: ....
  - ☐ Fichas n.º..
  - ☐ Reservar el Aula Multimedia ....
  - ☐ Otros materiales: ....
    ....

- Podría complementar esta unidad didáctica con...
  Le sugerimos que incorpore actividades que haya creado, le hayan enseñado sus colegas, haya aprendido en seminarios...

1.
2.
3.

Después de realizar la unidad didáctica

Los alumnos han expresado más interés por... *(tipo de actividades en las que más participaban, cuándo han sido más activos, temas por los que el interés era mayor...):*

_____

_____

_____

El grupo-clase *(señalar cómo ha ido el trabajo en parejas, en equipo, posibles problemas de relación entre los miembros del grupo, rasgos positivos, rasgos conflictivos…)*:

_____
_____
_____

Como profesor, mi relación con el grupo…:

_____
_____
_____

Debemos insistir en… *(Señalar aspectos de gramática, funciones, vocabulario, de una determinada destreza…)*:

_____
_____
_____

Vocabulario *(palabras nuevas, expresiones coloquiales, etc. que han surgido durante la sesión y no están en la unidad didáctica; palabras de difícil pronunciación o memorización…)*:

_____
_____
_____

La gestión del tiempo *(actividades o situaciones a las que debo dedicar más o menos tiempo la próxima vez; cambiar el orden de alguna situación, etc.)*:

_____
_____
_____

Cuando vuelva a trabajar esta unidad… *(complementar con…, aportar más información sobre…, preparar más actividades de…)*:

_____
_____
_____

Otros comentarios *(asistencia; enviar correos electrónicos a…; funcionamiento del retroproyector; reservar casete con X tiempo de antelación…; mobiliario…)*:

_____
_____
_____

Unidad 1

1. En la recepción de la empresa

- Introducir a los estudiantes en el español a través de los saludos y despedidas. Vocabulario de nombres, apellidos y partes del día.
- Saludos y despedidas en un contexto formal e informal.
- Primer contacto con la fonética y la ortografía del español.

Para contextualizar la actividad, comience comentando las ilustraciones con sus estudiantes y relacionándolas con los contenidos de los diálogos que van a escuchar.

Sugerimos que corrijan comparando sus respuestas con las de sus compañeros para potenciar ya el trabajo en equipo.

1.4. En el *Fíjate* se ejemplifica la procedencia de los dos apellidos españoles: el primero corresponde al primer apellido del padre y el segundo, al primer apellido de la madre. En la actualidad, y a petición de los padres, es posible cambiar el orden de los apellidos, es decir, primero el materno y luego el paterno, siendo obligado mantener este orden para todos los hijos de la pareja.

1.5. Trabajar con los estudiantes el carné de identidad:

- identificación del NIF: Número de Identificación Fiscal.
- Abreviaturas: Exped. = expedido. Val. = válido hasta...
- Firma.
- Ministerio del Interior (Organización administrativa del estado español)

Para terminar. Concurso: dé a sus estudiantes un minuto de tiempo (si tiene un mecanismo como, por ejemplo, un reloj de arena, ellos podrán prestar atención al paso del tiempo). En ese minuto tienen que escribir todos los nombres de hombre, los nombres de mujer y los apellidos que conozcan en español y escribirlos correctamente. Puede darles un formato de tabla con tres columnas.

En la puesta en común, use la pizarra o un póster en el que escribir y corregir los nombres. ¿Qué nombres son los más conocidos?

2. Si los españoles no entienden su nombre...

- Trabajar la grafía y el sonido del alfabeto: deletrear.
- Practicar con las estructuras para preguntar y responder por el nombre, en un contexto formal e informal.

2.1. Lea el alfabeto usted primero y después léalo junto a sus estudiantes las veces que sean necesarias.

Fuego graneado: todos los alumnos se ponen de pie y dicen consecutivamente el alfabeto. El que se equivoque, pasa a ocupar la última posición. Recomendamos hacer esta actividad en grupos de, como máximo, doce alumnos.

Se puede animar a cada estudiante a comentar las diferencias que encuentra, en esta primera toma de contacto, con su alfabeto u otros conocidos.

2.2. Cada profesor tiene que decidir en qué contexto quiere que practiquen sus alumnos, formal o informal:

– En un contexto de aula de jóvenes estudiantes homogéneo, en un país donde sea habitual el tuteo, proponemos practicar el contexto informal.
– En un contexto de aula de estudiantes de diferentes edades, explicaríamos con quién sería posible utilizar el *usted* y con quien el *tú*.
– En un aula ubicada en un país donde el contexto formal en el trabajo es habitual, usaríamos este modelo.
– En un grupo de alumnos que trabajen en una cultura empresarial muy informal, explicaríamos que lo habitual en dicho contexto es el registro informal y, por lo tanto, practicaríamos éste en clase.

En España: uso de tú-usted en presentaciones. Hay que distinguir básicamente:
- las situaciones de diferencia de edad (jóvenes-mayores),
- situaciones de diferencias jerárquicas (cliente-proveedor, jefe-empleado).

Si considera necesario presentar ahora a los alumnos la conjugación del verbo *Llamarse* en su totalidad, la encontrará en *el Apéndice gramatical*, pág 178.

Para terminar. *Quién es quién*: se reparten fichas con los nombres de los estudiantes y el profesor. Cada uno tiene que deletrear el nombre que le ha tocado y el resto de estudiantes tiene que identificarlo con la persona; el primero que lo consiga, recibe la tarjeta. Gana el que más tarjetas tenga. Esta dinámica se puede repetir en otras unidades para repasar el alfabeto y, al mismo tiempo, el vocabulario nuevo.

3. ¿De dónde es usted?

- Conocer los nombres de países y sus gentilicios.
- Preguntar y responder cómo se dice una palabra que se desconoce.

3.1. En la puesta en común hay que comentar los siguientes puntos:

– los gentilicios se escriben en minúscula (lo contrario es falta de ortografía),
– llamar la atención sobre su morfología en singular,
– los que son igual para el femenino y el masculino: belga y estadounidense. Otros: iraní, israelí, marroquí...,
– los que en masculino terminan en consonante y añaden la vocal –a para el femenino: español y española, danés y danesa,
– los que varían –o y –a.

Puede remitir a los alumnos al *Apéndice gramatical*, *Género de los nombres*, pág. 172 y *Nombres: formación del femenino*, pág. 173, del *Libro de alumno*.

Para terminar. *Memory*: escribir en unas fichas rectangulares independientes el nombre de países, los gentilicios en masculino singular y los gentilicios en femenino singular. Se recortan las fichas y se ponen bocabajo. Un alumno descubre una ficha, la lee en voz alta, memoriza su localización y la vuelve a colocar bocabajo. Cuando consigue las tres fichas del mismo país, las recoge y sigue jugando. Gana el alumno que consiga más tríos.

LIBRO DE EJERCICIOS: para consolidar, pueden realizar los ejercicios n.º 8 y 10.

4. En la recepción de una sala de congresos

- Preguntar por el nombre, apellidos y ciudad de origen en contexto formal e informal.
- Presentarse.
- Deletrear.

4.1. Si el grupo no es muy numeroso, podemos pedirles que lo lean individualmente pero en voz alta. Llame la atención sobre la entonación de una frase afirmativa e interrogativa, animándoles a que emitan frases inventadas. Los compañeros deberán descubrir si son afirmativas o interrogativas.

4.2. Sugerimos que sean los propios estudiantes, en parejas, los que realicen la corrección de esta actividad, para lo que pueden ayudarse mediante la emisión de la primera sílaba de la ciudad, por ejemplo:

> Alumno A: En el diálogo 1, el país empieza por Sue-.
> Alumno B: Suecia.
> Alumno A: Sí, sí, Suecia.

Ya que aparecen por primera vez nombres de ciudades españolas, pregunte a sus estudiantes: "¿Qué ciudades españolas conocéis? ¿Y Comunidades Autónomas?" Use la transparencia 1.

Transparencia 1:	Mapa de España con las comunidades autónomas.

5. En un congreso de arquitectos, después de dar el nombre a la recepcionista

- Presentar a alguien en un contexto formal e informal.

5.1. Proponga a sus estudiantes descubrir cuáles son las presentaciones formales y cuáles las informales, por ejemplo, la diferencia entre los pronombres **le/te** y el uso de **señora + apellido** (rasgo formal) frente al uso del **nombre de pila** (rasgo informal). Comente también aspectos sobre la gestualidad en los saludos y presentaciones. Por ejemplo: dar la mano en las situaciones formales (tantos hombres como mujeres); en las situaciones informales las mujeres se besan entre sí y los hombres se dan la mano. En esta caso, los hombres y mujeres también se saludan con dos besos.

5.2. Sugerimos comenzar con una lluvia de ideas sobre los empresarios españoles que conozcan. Se puede ir apuntando en la pizarra los nombres junto a la empresa de la que son propietarios (también se puede pedir que traigan fotos de empresarios para esta actividad).

LIBRO DE EJERCICIOS: para consolidar, realizar los ejercicios n.º 5 y 9.

6. Tarjetas de visita

- Preguntar y responder por la profesión en un contexto formal e informal.

Invite a los estudiantes a buscar las claves de los diálogos y las tarjetas en una segunda lectura, remarcando que no es necesario entender el diálogo completo. Para insistir en la lengua usada, pida a sus estudiantes que subrayen en rojo las estructuras que aparecen para preguntar por la profesión y en azul (u otro color) las que se usan para responder.

Uso de las tarjetas en España: es habitual intercambiar las tarjetas en el primer encuentro y al principio del mismo. "¿Cuándo se intercambian las tarjetas en vuestro país?".

7. En la recepción de una escuela de Dirección de Empresas: hoy es el primer día de un programa máster

- Ampliación de vocabulario sobre las profesiones.
- Repaso de las estructuras para presentarse, decir el lugar de origen y la profesión.
- Confirmar el significado de una palabra.

7.1. En la puesta en común, amplíe el vocabulario con las profesiones que los estudiantes conozcan.

En el *Apéndice gramatical* encontrará información sobre el género de los nombres, págs. 172 y 173.

7.3. Revise con los estudiantes las funciones trabajadas en los diálogos utilizando la ficha 1, entrégueles una fotocopia a cada uno. Para la puesta en común, se puede usar una transparencia e irla completando con la respuesta de los estudiantes.

Puede usarse el índice de *En esta unidad aprendes a...*, de la página 8.
Este tipo de propuestas, al finalizar cada unidad, ayuda a los estudiantes a repasar, recopilar y fijar lo trabajado. En la ficha 1 y en la transparencia 2 reproducimos el cuadro vacío, para fotocopiar para los estudiantes, y completo, para mostrar en transparencia.

7.4. En *el Apéndice gramatical*, pág 173, encontrará el presente del verbo *ser*.

LIBRO DE EJERCICIOS: para consolidar, pueden realizar los ejercicios n.º 2 y 6.
Para terminar. Minuto de profesiones: en grupos de 5 los estudiantes escribirán todas las profesiones que recuerden en español. A continuación, escenificarán una profesión de su lista y el resto de los grupos deberán descubrir de qué profesión se trata.

Intercambio de tarjetas. Pida a sus alumnos que elaboren tres tarjetas de visita diferentes cada uno en la que consten los datos que aparecen en las tarjetas de la actividad 6. A continuación, pídales que las intercambien practicando las estructuras de los diálogos de la actividad 7.

FICHA 1:	Tabla para completar.

TRANSPARENCIA 2:	Soluciones de la ficha 1.

8. Los números de teléfono

- Preguntar y responder por los números cardinales en el contexto de una conversación telefónica.

Antes de empezar la actividad, conviene escribir, en cifras, los números del 0 al 10 en la pizarra y leerlos con los estudiantes. Para aquellos que tengan más dificultad, hay que remitirlos al *Apéndice gramatical* en la página 171.

Para terminar. A partir de una guía de teléfono (en papel o en Internet) proponemos:

- A cada estudiante se le asignan unas ciudades españolas de las que deben buscar los códigos telefónicos para llamar desde fuera de España.
- Cada estudiante tiene que buscar el código telefónico para llamar desde España a su ciudad de origen.
- Cada estudiante tiene que buscar el código telefónico para llamar a todos los países Hispanoamericanos o del mundo que recuerden de la unidad.

En la puesta en común, cada estudiante compartirá la solución con sus compañeros, que tendrán que completar la tabla de la ficha 2.

El objetivo es que digan y comprendan los números. Para esto, es preferible que usen fuentes en español, pero si no estuvieran accesibles, pueden buscar la información en las fuentes de las que dispongan en sus países. Lo importante es que luego, en el aula, den la información en español.

LIBRO DE EJERCICIOS: para consolidar, pueden realizar el ejercicio n.º 4.

FICHA 2: Códigos telefónicos.

10. Escribe

- Expresión escrita.
- Abreviaturas de direcciones.
- Ubicación de la información en un sobre.
- Reconocimiento del documento del certificado de Correos y Telégrafos.

Contextualice la actividad dibujando un sobre en la pizarra con la dirección de la escuela o del profesor en España.

Para terminar. 1. La página *web* de Correos y Telégrafos es http://www.correos.es. Imprima diferentes documentos, llévelos al aula y expliquen entre todos sus servicios.
2. Pida a los estudiantes que busquen la dirección de sus embajadas en España y completen un sobre y un envío certificado de Correos.

LIBRO DE EJERCICIOS: para consolidar, pueden realizar el ejercicio n.º 7.

11. Diferencias culturales

- Revisar y consolidar las estructuras para saludarse en España.
- Expresión escrita.
- Intercultural: gestualidad en los saludos.

Para la puesta en común, sugerimos formar grupos de tres para leer y comentar sus propuestas. El profesor se pasea por los grupos a fin de corregir a los estudiantes y animarles a que corrijan, ellos también, el trabajo de los compañeros.

12. Lectura

- Comprensión lectora.
- Adquisición de conocimientos culturales.

12.1. Para la puesta en común, se puede preparar un mural en el que aparezca la traducción a las lenguas de los alumnos del vocabulario de la actividad.

Se puede aprovechar el contexto de trabajo de este vocabulario para introducir y sistematizar la morfología y el uso de los artículos determinados, si todavía no lo ha hecho. Pregunte a sus estudiantes por qué creen que se usa *el* o *la*. En el *Apéndice gramatical*, pág. 174, encontrará más información. Vista la morfología, pasaremos a la práctica, para la que necesitamos una pelota (que puede fabricarse con varios folios arrugados y envolviéndose como capas de cebolla): el profesor dice un nombre de los trabajados en esta unidad y lanza la pelota a un alumno; éste debe decir el artículo determinado correcto al recibir la pelota y tirarla nuevamente al profesor. Si el alumno se equivoca, el profesor repite la misma palabra pero pasándole la pelota a otro alumno.

LIBRO DE EJERCICIOS: para consolidar, pueden realizar el ejercicio n.° 3.

12.3. Contraste la información de la lectura con la situación en sus países.

Tarea final

Archivo de datos

Organizar un archivo con los datos del grupo, para lo cual hace falta elaborar un modelo o informe en el que se reflejen todos los datos que se necesitan. Los estudiantes se valdrán de los recursos lingüísticos trabajados en la unidad.

DINÁMICA DE AULA

Para los profesores y grupos de estudiantes más acostumbrados a trabajar de forma autónoma, se puede orientar la resolución de la tarea de forma personalizada para cada grupo, es decir, lo importante es que los estudiantes negocien los datos que tienen que aparecer en el modelo que va a organizar el archivo de datos. El profesor se iría paseando por los diferentes grupos preguntando y comentando las dudas que fueran surgiendo. El profesor también tiene que estar preparado para enfocar el trabajo en caso de desorientación total de los alumnos (no se preocupe si se da esta situación, es la primera tarea, cuando se acostumbren al procedimiento –que no suelen tardar mucho– irá sobre ruedas).

Si el profesor lo quiere hacer más guiado, se negocia al principio de la tarea con los estudiantes qué tipo de modelo se va a usar. Para ello, se hace una lluvia de ideas sobre los datos que queremos y cómo organizarlos, cómo se va a hacer la petición de datos (si se pasa la ficha o se hace a modo de breve entrevista, lo cual aconsejamos en este momento), etc. Lo que sí es importante, nuevamente, es que el "problema" que se plantea en esta tarea se resuelva mediante negociación entre todos. Un posible modelo es el que aparece en la ficha 3.

Al llegar al punto 4, conviene recrearse en el ludismo de esta propuesta. El juego de *¿Quién es quién?* suele despertar bastante interés y es un buen broche para la puesta en común de la tarea final. Los estudiantes pueden leer fichas al azar de las que han completado e ir descubriendo los diferentes datos en orden de dificultad para reconocer a las personas. Se puede empezar, por ejemplo, por la profesión, en lugar de por el nombre.

FICHA 3: Ficha del archivo de datos de la clase.

HISPANOAMÉRICA

HISPANOAMÉRICA

OBJETIVOS GENERALES

- Presentar a los protagonistas de la historia.
- Conocer los nombres de los países hispanoamericanos, gentilicios y monedas.
- Acercamiento a peculiaridades "de denominación" relacionados con la geografía.

- Los saludos, despedidas y agradecimientos: vocabulario y gestualidad.
- El uso de "vos", "tú" y "usted".
- Discriminación auditiva de acentos.
- Abreviaturas y tratamientos.

1. Los estudiantes pueden ayudarse a completar la información con preguntas del tipo: "¿Cuál es el gentilicio de El Salvador?" o "¿Cuál es la moneda de Colombia?".

2. En España se llama a los catalanes "polacos" de forma peyorativa o despectiva. En muchos países de Hispanoamérica, a los españoles se les nombra como "gallegos", porque fueron muchos los gallegos que emigraron a estas tierras.

Para terminar. Los estudiantes buscan en Internet, mediante un buscador en español, un producto típico de cada uno de los países de la tabla y elaboran un listado creando frases tipo "El mate es argentino". Con la información recogida, se realiza un concurso en clase: cada alumno por turnos debe preguntar de dónde es cada uno de los productos encontrados, por ejemplo "¿De dónde es el mate?". El alumno que responde correctamente y más rápido gana un punto. El profesor debe hacer el recuento de puntos.

APÉNDICE WWW

APÉNDICE WWW

LA ACTUALIDAD ECONÓMICA DE MÉXICO, ARGENTINA Y ESPAÑA

A continuación, hemos seleccionado tres direcciones *web* en la que los estudiantes podrán encontrar fotografías de España.

Objetivo: familiarizarse con la imagen de España. Conocer sus provincias y su variedad paisajística.

Dinámica: visitar esas direcciones en el Aula Multimedia del centro o en cualquier sitio en el que tengan acceso a Internet y seleccionar una ciudad de destino de la costa, otra del interior y otra de una isla. Tiene que justificar por qué le gusta. Haga fotocopias del mapa de España que aparece en la transparencia 1. El alumno tendrá que ir indicando, igualmente, los destinos seleccionados por sus compañeros. Según sea el grupo más o menos numeroso, convendrá trabajar en grupos de cuatro o en pleno.

- http://www.tourspain.es • http://www.ciudadhoy.com • http://cvc.cervantes.es/actcult/paisajes/

FICHA 4: De viaje por España.

Respuestas test 1:
1.d; 2.a; 3.c; 4.b; 5.a; 6.a; 7.d; 8.a; 9.c; 10.c; 11 - de; 12 - se dice; 13 - francesa; 14 - sueco - sueca; 15 - Me llamo; 16 - apellido; 17 - la; 18. Paricio García; 19 - 91 887 53 62; 20 - C/ y Avda.

TEST UNIDAD 1

Selecciona la opción correcta.

1. ► Adiós, Ana.
   ▷ Adiós, Jorge. Hasta ....

☐ a. mañana   ☐ c. tardes
☐ b. noche   ☐ d. luego

2. ► José Luis, te presento a la .... Gálvez.
   ▷ Mucho gusto.
   ► Encantada.

☐ a. señora   ☐ c. doña
☐ b. señor   ☐ d. don

3. ► Perdone, Sr. Carro, ¿cómo ...."Carro"?
   ▷ Ce, a doble erre, o.

☐ a. se dice   ☐ c. se escribe
☐ b. se lee   ☐ d. se oye

4. ► Sra. Romo, ¿a qué se dedica?
   ▷ .... consultora de la empresa *Recursos y Consultoría*.

☐ a. Trabajo   ☐ c. Estoy
☐ b. Soy   ☐ d. Me dedico

5. ► ¿......................... es el n.º de teléfono de Información?
   ▷ El 010.

☐ a. Cuál   ☐ c. Qué
☐ b. Dónde   ☐ d. Quién

6. ► Mira, aquellos son Luis y Carlota.
   ▷ ¿En qué trabajan?
   ► .... es profesor y ...., abogada.

☐ a. Él - ella   ☐ c. Usted - usted
☐ b. Ella - él   ☐ d. Él - usted

7. ► Buenos días, soy Elvira Peña.
   ▷ ...., yo soy Jorge Lozano.

☐ a. Encantada   ☐ c. Gracias
☐ b. Bien   ☐ d. Mucho gusto

8. ► ¿ .... ustedes los abogados del bufete Fuentes?
   ▷ No, lo siento.

☐ a. Son   ☐ c. Sois
☐ b. Es   ☐ d. Somos

9. En México para dirigirse formalmente a una persona se usa la fórmula ....

☐ a. Don   ☐ c. Señor
☐ b. Licenciada   ☐ d. Estimado

10. En la presentación de un hombre y una mujer para una reunión, ...

☐ a. se abrazan   ☐ c. se dan la mano
☐ b. se besan   ☐ d. no se tocan

Completa.

11. ► ¿De dónde eres?
   ▷ Italiana, ... Florencia.

12. ► ¿Cómo .... "teacher" en español?

13. Francia: él es francés, ella es ....

14. Suecia: él es ...., ella es ....

15. .... llam... .
Te llamas
Se llama

16. ► Olga, ¿es nombre o ....?

17. ► ¿Quién es .... directora?
   ▷ La Sra. Montes.

18. Alvaro Paricio Latasa ⬭ Luisa García Nonet. Jorge ....

19. ► El número de teléfono de Información del aeropuerto es el nueve, uno, ocho, ocho, siete, cinco, tres, seis, dos.
   ▷ Lo repito, es el (*escribir en número*)
....

20. Las abreviaturas de Calle y Avenida son: .... y ....

COMENTARIOS:

PUNTUACIÓN: */20*

Unidad 2

1. ¿Dónde está tu empresa?

- Vocabulario sobre elementos de la ciudad.
- Estructuras para hablar de direcciones y ubicación.
- Números de orden. Presente del verbo *estar*.

1.1. Para contextualizar la actividad, puede introducir el tema hablando de la ciudad y la dirección de la escuela. Los estudiantes se familiarizarán de esta forma con el vocabulario.

1.5. Para la corrección, los estudiantes pueden leer los diálogos en voz alta cuidando especialmente la entonación y la pronunciación. Si es preciso, repase los números cardinales hasta el 20 en la pág. 171 del *Apéndice gramatical*, y los ordinales en la 172.

En la audición se ejemplifican diferentes modelos para pedir información sobre direcciones. Los estudiantes ya conocen el interrogativo **dónde**, pero puede aprovechar para pedirles que marquen en colores lo que consideren diferentes estructuras para pedir información y sus significados, que se resumen en:

1. ¿Dónde está la plaza Castilla?
2. ¿Estás (todavía) en la plaza Castilla?
3. La plaza Castilla está en…, ¿verdad?

En 1, se desconoce la localización del lugar, y aparece con variantes en el orden de la frase que habrá que hacer notar, puesto que es muy frecuente en español (ejemplos 3 y 4). En 2, se conoce el lugar y se pide confirmación al hablante sobre su ubicación. En 3, también se pide confirmación al hablante sobre la localización de un lugar.

2. En la oficina, ¿dónde está…?

- Vocabulario sobre los departamentos de una empresa y partes físicas.
- Hablar sobre la ubicación de lugares dentro de un edificio.

2.1. Antes de empezar la actividad, pida a los estudiantes que se levanten y escriban en la pizarra los nombres de los departamentos que conocen en español; usted puede añadir al final parte del vocabulario que no haya salido y que aparezca en el plano de 2.1. Haga una introducción de las estructuras para ubicar que aparecen en el *Fíjese* con las salas o aulas de la escuela, por ejemplo, "Nuestra clase está al lado de la biblioteca, ¿verdad?", "Enfrente están los lavabos", etc.

El artículo y las contracciones aparecen en el *Apéndice gramatical*, pág. 172.

2.3. Una vez finalizada esta actividad, puede continuar la práctica haciendo preguntas a sus estudiantes sobre ubicación a partir del plano de 2.2., del tipo "¿La sala de reuniones está entre...?", "¿El departamento de I + D está al lado de...?"; de esta forma los estudiantes irán adquiriendo soltura con lo trabajado en esta actividad.

2.4. Conviene que cada estudiante dibuje su propio plano y escriba los nombres de cada elemento del plano. También puede sugerirles que pongan por escrito, a fin de practicar, el discurso que van a seguir en la descripción del plano. Después, verbalmente, sin mirar sus notas, el estudiante describirá su plano al compañero, quien tendrá que dibujarlo. Le recomendamos que se vaya paseando entre las parejas y orientando la producción oral de cada una.

Para terminar. La pelota loca: con una pelota (que puede fabricar envolviendo folios unos sobre otros hasta que tenga el tamaño deseado), haga la pregunta: "¿Quién está a la izquierda de Susan?", el primero que responda obtiene la pelota y éste tendrá que formular la siguiente pregunta.

LIBRO DE EJERCICIOS: para consolidar, pueden realizar los ejercicios n.º 2, 4 (se trabajan los ordinales que podrían complementar esta actividad) y 7.

3. Con la calculadora, ¿qué número...?

- Vocabulario sobre las operaciones aritméticas.
- Los números hasta el 100.
- Expresar la cantidad.

3.1. Antes de empezar la actividad, dibuje en la pizarra los símbolos de las operaciones aritméticas en grande y en diferentes colores. Lea con los estudiantes los símbolos mientras completa las operaciones aritméticas (puede reproducir el cuadro del *Fíjate*).

3.4. En la puesta en común con su compañero, conviene que cada uno vaya leyendo la serie completa en español. Los números cardinales los pueden consultar en la pág. 171 del *Apéndice gramatical*.

Para terminar. Bingo: en la ficha 5 encontrará 6 reproducciones de tarjetas de bingo. Haga fotocopias hasta tener una ficha para cada alumno, no importa que algunos alumnos tengan la misma ficha (así podrá comprobar si reaccionan a la vez o no). También tiene, en la ficha 6, un juego de fichas de bingo en blanco, por si prefiere completarlas con números diferentes para cada alumno. Un estudiante puede hacer de maestro de ceremonias e ir leyendo en voz alta los números hasta que alguien cante "línea" y, después, "bingo".

LIBRO DE EJERCICIOS: para consolidar, pueden realizar el ejercicio n.º 9.

FICHA 5:	Tarjetas de bingo.

FICHA 6:	Tarjetas de bingo para rellenar.

4. En la oficina, ¿qué dicen?

- Escuchar números.

4.1. Antes de escuchar la audición, escriba en la pizarra una o dos palabras claves de cada una de las audiciones para preparar el vocabulario y centrar el objetivo (los números).

Ejemplo: sesión informativa	1. contacte - extensión
2. coche - matrícula	3. teléfono - extensión
4. empleado - despacho	5. autopista - aeropuerto

Comente a sus estudiantes que van a escuchar una serie de informaciones en las que se escuchan las palabras clave que ha escrito en la pizarra para que ellos describan su significado según el contexto. Si cree que eso es muy complejo, un paso previo sería rodear en círculos, sin numerar, cada par de palabras, teniendo ellos que identificarlas con el número de la información correspondiente.

5. En mi despacho, ¿qué hay? y ¿dónde está?

- Pedir y dar información sobre la ubicación de objetos en un despacho.
- Vocabulario de objetos de oficina.
- Preguntar y responder por la existencia de algo.

5.1. Escoja un objeto y sitúese delante de una mesa y al lado de un cajón (si no tuviera, una cartera o bolso realizará la misma función). Pida a sus estudiantes, a la vista del dibujo de 5.1., que vayan "cantando" la posición que ocupa el objeto respecto a la mesa y al cajón (*encima de, dentro de...*).

5.2. Comience preguntando a sus estudiantes por el nombre de los diferentes objetos. También puede poner los nombres de los objetos en la pizarra y que sus estudiantes relacionen los nombres con los números de los dibujos.

5.3. Una vez realizado este ejercicio, complete la información con la **respuesta negativa**:

> A: ¿Hay un ordenador en tu despacho?
> B: No. / No, ordenador no hay.
> A: ¿Y teléfono?
> B: Tampoco.

Trabaje con sus estudiantes el funcionamiento de los turnos de palabra. Así, cuando se formula la primera pregunta, se hace completa, mientras que el conocimiento compartido del contexto hace que se elidan muchos elementos de la frase en las sucesivas preguntas. De ahí la pregunta "¿Y teléfono?", se sobreentiende que la pregunta completa sería "¿Hay un teléfono en tu despacho?".

En el *Apéndice gramatical* encontrará el artículo indeterminado, pág. 172, y la diferencia *hay/está*, pág. 174.

Para terminar. Anime a sus estudiantes a llevar fotografías de material de oficina para la próxima clase. Prepare fichas para escribir el nombre de esos objetos, no importa que estén repetidos. En una primera toma de contacto, que cada estudiante presente el objeto, anotándose el nombre en una ficha (puede hacerlo el profesor o un secretario de aula, que va rotando). Así, hasta que estén todos. Posteriormente, reparta a sus estudiantes fichas y objetos que tienen que relacionar, un montón a cada grupo, rotando los montones entre los grupos.

LIBRO DE EJERCICIOS: para consolidar, pueden realizar los ejercicios n.º 3 y 5.

6. En busca del objeto perdido

- Pedir y dar información sobre la ubicación de objetos.

6.1. Para contextualizar la actividad, comente a sus estudiantes que van a escuchar cinco mini-diálogos en los que se pregunta y se responde sobre diferentes objetos de despacho. En 6.2. sólo se pide que presten atención a qué objetos son los que buscan. En 6.4., tendrán que anotar la ubicación, tal y como se indica en el ejemplo.

6.2. y 6.3. En la puesta en común, cada estudiante puede escribir en la pizarra la frase completa y aprovechar para incidir en la ortografía (acentos, puntos finales, mayúscula inicial, etc.).

Comente con sus estudiantes la necesidad de ser cortés al interrumpir a alguien para hacer sus preguntas y agradecer la respuesta, sobre todo si no hay mucha confianza. Puede aprovechar para comentar cómo se realiza este intercambio en los países de los estudiantes, con qué tipo de fórmulas de cortesía y agradecimiento.

María Botín es un nombre inventado muy parecido a Ana Patricia Botín, hija de Emilio Botín, presidente del Banco Santander Central Hispano. Actualmente es Presidenta de Banesto.

7. En el taxi

- Comprensión auditiva en la que se pide y se da información sobre lugares.
- Expresar interés y agrado.

7.1. Observe con sus estudiantes el mapa y pídales que localicen al Sr. Azúa. Después, lea con ellos el mapa. Antes de comenzar la audición, presénteles el *Fíjate* de la pág. 38.

Le recomendamos que secuencie las fases de la comprensión auditiva. Por ejemplo, 1. los estudiantes anotan los sitios que se mencionan; 2. ubican esos lugares en el mapa.

7.2. Llame la atención sobre las expresiones utilizadas para mostrar interés y agrado. Pida a sus estudiantes que lean en voz alta el diálogo entre el taxista y el Sr. Azúa, fijándose especialmente en la entonación y la pronunciación. Pueden hacer esto también en parejas.

En España, es habitual que el taxista se preste a charlar animadamente con sus clientes. Se puede comparar esta situación con la experiencia de cada estudiante, o incluso pedirles que comenten alguna anécdota.

7.3. Prepare un mapa de su ciudad en el que se localice la escuela o academia y que los estudiantes, en grupos de tres, indiquen su trayecto hasta la escuela. En la puesta en común, cada estudiante puede explicar el trayecto realizado por otro compañero.

Para terminar. En parejas, pueden intentar escribir un diálogo en el que se haga un recorrido por su ciudad destacando los edificios de interés, que luego leerán ante toda la clase. Si lo cree factible, puede pedirles que completen la presentación a los compañeros con una transparencia del mapa de su ciudad.

LIBRO DE EJERCICIOS: para consolidar, pueden realizar los ejercicios n.º 6, 8 y 10.

9. Escribe

- Expresión escrita.
- Ubicación de la información en la cabecera de un correo electrónico.

9.1. Es muy probable que los estudiantes puedan reconocer los iconos empleados en un mensaje electrónico, por lo que no tendrán problemas en identificar su función y los espacios definidos para los puntos 1 a 4. No obstante, repase con ellos este vocabulario y, si lo cree conveniente, el resto de elementos que aparecen en la cabecera del mensaje.

9.2. Para aclarar posibles dudas, pida a un estudiante que lea en voz alta la información y vaya aclarando las dudas antes de que completen la actividad.

Llame la atención sobre la forma de escribir la fecha: "**Hoy es** + *día* + **de** + *mes* + **de** + *año*".
También se puede abreviar como: **24-02-04** y **24/02/2004.**

Para terminar. Cada estudiante, y empezando por el profesor, pueden indicar su fecha de nacimiento o una fecha relevante pactada entre el grupo (el día que viajaron a España por primera vez, su primera clase de español, etc.). El resto del grupo toma nota completando la ficha de cada estudiante (la de la unidad 1).

10. Diferencias culturales

- Cultural: factores para valorar la ubicación de una empresa.
- Ciudades europeas.

10.1. Antes de empezar la actividad, repase con sus estudiantes los países y las ciudades. Por ejemplo, "De España, ¿qué ciudades aparecen?".

10.2. Prepare en la pizarra una tabla con las ciudades y el orden de preferencia que le asigna cada estudiante, distinguiendo la ciudad favorita para vivir y la ciudad preferida para hacer negocios. Puede hacerlo también utilizando la transparencia 3: "Las mejores ciudades para instalar un negocio".

10.3. Se presenta un listado publicado en la revista *Expansión* con la preferencia manifestada por los europeos sobre las ciudades para instalar una empresa y los factores que les llevan a tomar esa decisión. Después de leerlo, comente con sus estudiantes si alguno de estos factores son los que han influido en establecer su orden de preferencia y otros factores que pueden ampliar la lista.

> **TRANSPARENCIA 3:** Las mejores ciudades para instalar un negocio.

11. Lectura

- Comprensión lectora.

11.2. Los estudiantes pueden leer individualmente un par de veces el texto y, en grupo, compartir sus dudas y preguntas sobre la comprensión del mismo.

Tarea final

Montar una empresa

Para ello tendrán que elegir la zona en la que va a estar instalada, comunicar a los clientes la nueva dirección y hacer un primer pedido a los proveedores de material de oficina. Los estudiantes utilizarán los recursos lingüísticos vistos en la unidad.

DINÁMICA DE AULA

Forme grupos de tres. Puede optar por mantener las agrupaciones que se formaron en la última tarea o, si notó desentendimiento entre los miembros, formar nuevos grupos.

Para la instrucción 1, hay que pedir a los estudiantes que se provean de mapas de las ciudades que han seleccionado. Se puede restringir la selección a ciudades españolas para introducir el elemento cultural.

Las tareas permiten a los estudiantes hacer uso de los recursos que cada uno ha ido adquiriendo, de tal forma que unos optarán por ajustarse más a lo que ha aparecido en la unidad, y otros aprovecharán para ampliar su vocabulario, por ejemplo, en la instrucción 3, al detallar el material de oficina que necesitan.

En las instrucciones 2 y 3, puede sugerir a los estudiantes que comiencen sus correos electrónicos con la fórmula de cortesía: "Estimados clientes / señores:". Deje que den cuerpo al contenido del correo, mientras, se presta a ayudarles según demanden. Conviene tener preparados un par de modelos de correos para los estudiantes que lo precisen (ficha 7 "Muestras de cartas").

> **FICHA 7:** Muestras de cartas.

HISPANOAMÉRICA

- Referirse a la dirección en el español de Argentina y México.
- Geografía de Hispanoamérica: ubicación de países (**norte, sur, este** y **oeste).**
- Acercamiento a diferencias de vocabulario entre las variantes del español.
- Discriminación auditiva de acentos.

3. Antes de escuchar la audición conviene que los estudiantes se familiaricen con el mapa. Después, pídales, en una primera audición, que comenten detalles generales, por ejemplo, que Rodrigo sale desde el aeropuerto, le recomiendan que "tome un taxi", etc.

4. Se puede encontrar diferencias tanto de vocabulario como culturales (ver página 75 de soluciones en *el Libro de ejercicios*).

5. Antes de escuchar la audición, presente a los estudiantes el vocabulario de los puntos cardinales: **norte, sur, este, oeste y suroeste, sureste, noroeste, noreste.**

A la vista del mapa, sugiérales que digan otros países de Hispanoamérica utilizando el vocabulario *norte*, *sur*… para ubicarlos (en la transparencia 4 se reproduce el mapa de Hispanoamérica). Después, escuche la audición y que los estudiantes respondan individualmente.

Para terminar. Trabaje con sus estudiantes los puntos expuestos en las páginas de *En resumen* del *Libro de ejercicios*, pág. 16. Se trata simplemente de exponer a los estudiantes a los diferentes acentos del español intentando evitar miedos infundados ante la expectativa de no entenderse con hablantes de variedades diferentes a la que escuchan de su profesor o escuchan en el CD o casete. Además, claro está, de acercarlos mediante apuntes culturales a la realidad de estos países, al igual que se acercan a la de España en el trascurso de la unidad.

TRANSPARENCIA 4:	Mapa de Hispanoamérica.

APÉNDICE WWW

HISPANOAMÉRICA DE NORTE A SUR, Y DE ESTE A OESTE

Objetivo: familiarizarse con la imagen de Hispanoamérica. Conocer sus países y su riqueza.

Dinámica: visitar las direcciones de los siguientes buscadores en el Aula Multimedia del centro o en cualquier sitio en el que tengan acceso a Internet y seleccionar un paisaje del norte del continente, del sur, del centro, del este y del oeste. Tienen que ser fotografías muy diferentes y justificar por qué las escogen. Buscadores:

- http://www.google.es
- http://es.yahoo.com/
- http://www.lycos.es

Le aparecerán direcciones como:
- http://www.chile.com Chile
- http://www.sectur.gov.ar Secretaría de turismo de Argentina
- http://www.mexicocity.com.mx México
- http://www.cuba.cu Cuba
- http://www.peru.org.pe Comisión de Promoción de Perú

Diga a sus estudiantes que escriban el nombre de cada uno de estos países en un buscador en español y accedan a la información que les permita conocer un poco más de ellos. En el mapa de Hispanoamérica (transparencia 4) puede hacer la puesta en común, en el que un estudiante puede ir ubicando los destinos seleccionados por sus compañeros. Según sea el grupo más o menos numeroso, convendrá trabajar en grupos de cuatro (reparta una fotocopia del mapa por grupo) o en pleno (con la transparencia del mapa).

FICHA 8:	Hispanoamérica de norte a sur, y de este a oeste.

Respuestas test 2:
1. b; 2. d; 3. c; 4. c; 5. d; 6. a; 7. d; 8. b; 9. d; 10. d; 11. boleto; 12. de; 13. cien; 14. despacho,a; 15. Ochenta; 16. encima; 17. con copia (el nombre de otro destinatario y su dirección electrónica); 18. Estoy; 19. cerca; 20. 65-40.

TEST UNIDAD 2

Selecciona la opción correcta.

1. ¿Dónde .... tu oficina?
   - ☐ a. trabajas
   - ☐ b. está
   - ☐ c. estamos
   - ☐ d. vive

2. Hay un ascensor .... lado de los lavabos.
   - ☐ a. junto a
   - ☐ b. a los
   - ☐ c. del
   - ☐ d. al

3. Las carpetas .... encima de la mesa.
   - ☐ a. hay
   - ☐ b. son
   - ☐ c. están
   - ☐ d. es

4. El departamento de marketing está en la .... planta.
   - ☐ a. cuarto
   - ☐ b. cuatro
   - ☐ c. cuarta
   - ☐ d. cuatros

5. Nosotros .... en la avenida Constitución.
   - ☐ a. hay
   - ☐ b. somos
   - ☐ c. estáis
   - ☐ d. estamos

6. ...., ¿está muy lejos la calle Zorrilla?
   - ☐ a. Perdone
   - ☐ b. Están
   - ☐ c. Adiós
   - ☐ d. Allí

7. ► Necesito unos disquetes...
   ▷ .... una caja de disquetes nuevos dentro del cajón.
   - ☐ a. Estoy
   - ☐ b. Es
   - ☐ c. Está
   - ☐ d. Hay

8. ¿El departamento de personal, por favor? .... piso.
   - ☐ a. Uno
   - ☐ b. Primer
   - ☐ c. Quinta
   - ☐ d. En el

9. ► Disculpe, ¿la iglesia de la Sagrada Familia?
   ▷ Sí, sí, ¿la ve ahí? Delante .... parque.
   - ☐ a. a
   - ☐ b. al
   - ☐ c. a el
   - ☐ d. del

10. Mi ciudad favorita es Madrid y en .... lugar, Atenas.
    - ☐ a. tercera
    - ☐ b. dos
    - ☐ c. negocios
    - ☐ d. segundo

Completa.

11. En México, antes de tomar el taxi para ir a la ciudad usted tiene que comprar el .... del taxi en la taquilla del aeropuerto.

12. En España dicen "su empresa", en Argentina dicen "la empresa .... usted".

13. Noventa y nueve más uno son (escribir en letras) ....

14. ► Por favor, ¿el .... del director general?
    ▷ Al final del pasillo, ... la derecha.

15. .... menos tres son setenta y siete.

16. "Debajo de" es el opuesto de "..................... de".

17. En un mensaje electrónico la abreviatura CC significa ....

18. (Yo) .... enfrente del departamento de I + D.

19. (Hablando por el móvil)
    ► ¿Estáis muy lejos?
    ▷ No, no, muy ...., aquí, en la calle Rodrigo.

20. Mi extensión de teléfono es la sesenta y cinco, cuarenta; es la extensión (escribir en número) ....-...................... .

Unidad 3

1. Una jefa ideal

- Entrar en contacto con el presente de indicativo para hablar de las actividades habituales.
- Describir el carácter de las personas.

1.3. La puesta en común de esta actividad se puede realizar en parejas para que corrijan, completen o aclaren sus dudas sobre su trabajo morfológico. En este punto, el profesor podría trabajar la morfología del presente partiendo de las tres terminaciones y animando a los alumnos a que completen la ficha 9 con todas las personas del presente de indicativo.

Puede remitir a los alumnos al *Apéndice gramatical*, presente de indicativo, pág. 177, para que realicen la corrección del cuadro.

1.4. Se deben aclarar todas las dudas de vocabulario. Incluso puede empezar a trabajar con los antónimos para ayudar a memorizar y ampliar vocabulario.

1.5. Es recomendable pedir a los estudiantes que lleven un diccionario de español y que usted mismo pueda llevar algún ejemplar por si alguien lo olvidara. Intente que los alumnos utilicen la estructura española "¿Cómo se dice en español "XXXXX"?" aprendida en la unidad 1, si no, corremos el peligro de que pasen a usar su lengua.

1.6. Si necesitan ampliar vocabulario, sugiérales el uso del diccionario. Luego, se hace una puesta en común con toda la clase, aclarando las dudas surgidas. Una vez familiarizados todos con el vocabulario que van a necesitar, pueden realizar la actividad.

Para terminar. Parejas y contrarios. Le sugerimos que escriba en la pizarra, de forma desordenada, todos los adjetivos que hayan seleccionado sus alumnos; escriba también sus contrarios; si viera que se repiten, añada de su propia cosecha. Debería llegar a un mínimo de 20 adjetivos. Les da 1 minuto para que escriban individualmente el máximo número de parejas. Acabado el minuto, hagan una puesta en común relacionando con flechas las parejas escritas en la pizarra. Gana el alumno que más parejas haya realizado.

LIBRO DE EJERCICIOS: para consolidar, pueden realizar el ejercicio n.º 7.

FICHA 9:	Verbos en presente de indicativo.

2. Un día normal en el trabajo

- Practicar el presente de indicativo junto con las expresiones necesarias para ordenar el discurso en el tiempo.

2.1. Ayude a sus alumnos a recordar la estructura para poder preguntar a los compañeros: "¿Qué haces al llegar al trabajo?". Remarque que deben usar la forma "tú" para preguntar al compañero.

Si lo considera necesario, presente ahora a los alumnos la conjugación del verbo *Hacer* en su totalidad, la encontrará en el *Apéndice gramatical*, pág 180.

Puede aprovechar este momento para iniciar una reflexión intercultural: comenten si las actividades que han señalado son propias de los empleados de empresas de su país. ¿Creen que en España es igual? Podría apuntar en la pizarra los nombres de los países y lo que consideran propio de cada país.

LIBRO DE EJERCICIOS: para consolidar, pueden realizar el ejercicio n.º 3.

3. Un día en la vida de...

- Trabajar el presente de indicativo relacionado con las expresiones de habitualidad y frecuencia.

3.1. Los estudiantes pueden leer primero individualmente y en voz baja el texto. Después, se puede pasar a una lectura del profesor en voz alta que repetirán los estudiantes. Trabaje la entonación enunciativa y la pronunciación.

3.4. Escenifique usted con dos alumnos el ejemplo del libro y preste unos segundos de atención al *Fíjese* para asegurarse de que los alumnos han entendido correctamente la dinámica.

LIBRO DE EJERCICIOS: para consolidar, pueden realizar los ejercicios n.º 2 y 10.

Para terminar. Para trabajar la expresión escrita y la oral le sugerimos que pida a sus alumnos que realicen una redacción titulada "Un día en la vida de...". En ella explicarán qué hacen sus compañeros. Recuérdeles que ahora deberán usar la 3.ª persona de singular. Puede utilizar la ficha 10. Una sugerencia para plantear la actividad es:

1. Pida a sus alumnos que se muevan por la clase para conocer qué hacen sus compañeros. Adviértales que tienen que tomar notas para preparar la redacción posterior. Acóteles el tiempo, por ejemplo, dígales que disponen de cinco minutos.
2. Cada uno redacta su texto. En la corrección va a contar tanto el aspecto de contenidos (es decir, de cuántos compañeros dispone de información) como el formal (es decir, la corrección en la escritura y la presentación).
3. Cuelgue en la clase los tres mejores trabajos.

FICHA 10: Un día en la vida de...

4. ¿Cómo son?

- Describir el carácter de las personas.

4.1. Le sugerimos realizar, a modo de juego, un recordatorio de los adjetivos de la actividad 1: "¿Cuántos adjetivos recordamos?", sin mirar las notas de clase, en un minuto, usted o un par de alumnos voluntarios escribirán en la pizarra en un color los adjetivos que vayan saliendo... A continuación, los alumnos deben buscar la lectura y notas de la actividad 1.4. y ampliar la lista. Los adjetivos no mencionados se escribirán en otro color.

4.3. La puesta en común se puede realizar en parejas y aprovechar la ocasión para trabajar con algunos antónimos.

Para terminar. Adivina, adivinanza. Haga papeles tamaño mitad de una octavilla y dele uno a cada alumno. Pídales que escriban su nombre y lo doblen en 4. Póngalo en una bolsa y pida que cojan uno cada uno, asegurándose de que el papel no contiene su nombre. A continuación, los alumnos deben escribir los adjetivos que mejor definan a ese compañero en el papel. Usted los recoge y va sacando cada uno de los papeles y lee los adjetivos. La clase debe descubrir de quién se trata. Comenten las curiosidades si el ambiente de grupo es bueno: "¿Quién ha escrito estos adjetivos?, ¿por qué dices que es...?"; o, al alumno descrito, se le puede preguntar si se siente identificado con la descripción.
Durante esta actividad insista en el género de los adjetivos. Recuerde que tiene la referencia gramatical en el *Apéndice gramatical*, pág. 176.

LIBRO DE EJERCICIOS: para consolidar, pueden realizar el ejercicio n.º 4.

5. ¿Qué están haciendo?

- Conocer la estructura ***estar + gerundio*** para hablar de actividades habituales de las personas en la empresa.

5.1. Recuérdeles que deben usar la 3.ª persona de singular o plural. Corrijan esta actividad con una puesta en común para ver cuántos verbos han activado y escríbalos en la pizarra en una columna. No escriba el infinitivo sino el presente de indicativo usado por los alumnos y no los borre durante toda esta actividad.

5.2. Intente que realicen la actividad con la primera audición, advirtiéndoselo previamente. Después de corregirla, haga una segunda audición y escriba en la pizarra los presentes continuos en una columna cuando los vayan mencionando en la grabación. Ahora, pregúnteles a los alumnos si conocen esta forma y qué puede significar.

Remita a la clase al *Apéndice gramatical*, presente continuo, pág. 174, del *Libro de alumno*.

Para terminar. Todos somos mudos. Entre todos escriban las formas de la pizarra que están en presente de indicativo en presente continuo. Escenifique usted una de las acciones de la pizarra; seguro que alguno de sus estudiantes dirá lo que usted está haciendo; cuando lo haga, borre ese verbo de la pizarra. Pídale que sea él el que ahora escenifique, otro alumno dirá de qué se trata; borre el verbo cuando lo adivinen, y así, sucesivamente, hasta borrar todos los verbos.

LIBRO DE EJERCICIOS: para consolidar, pueden realizar el ejercicio n.° 5.

6. ¿Qué están haciendo las empresas españolas?

- Practicar la estructura **estar + gerundio** para hablar de actividades de las empresas.

6.1. Ayude a sus alumnos con el vocabulario. Después de explicarlo, pídales que formulen un ejemplo parecido con una empresa de su país.

Si sus alumnos no conocen las empresas española elegidas, le sugerimos que acudan a las páginas *web* corporativas para acceder a esta información (puede pedirles que consulten sus páginas *web* con antelación a la realización de esta actividad) o que usted mismo lleve información impresa de estas empresas.

6.3. Insista en que deben usar el presente continuo. Si tienen la posibilidad de acceder a la página *web* de esa compañía, es también muy recomendable insistir en que, en la medida de lo posible, busquen la información en español. Los alumnos deben repartirse la información que tienen que buscar y redactarla para aportar al grupo. Pueden ayudarse con un diccionario *online*:

Español general:
- http://www.rae.es
- http://www.diccionarios.com/

Español específico para términos económicos y financieros:
- http://www.clubplaneta.com/economia/glosario.htm
- http://www.capitaldictionary.com

7. ¿Cuánto ganan los españoles? (1)

- Volabulario de puestos de trabajo y profesiones.
- Practicar los números a partir del 100.

7.1. Es conveniente:

- Pedir a los alumnos que lean primero el cuadro individualmente y aclarar todas las dudas de vocabulario.
- Asegurarse de que conocen los números haciendo una actividad de precalentamiento. Primero, consultar el cuadro del *Apéndice gramatical, Números cardinales,* pág. 171. A continuación, sugerimos, por ejemplo, un bingo o escribir números y decirlos oralmente o, a partir de un número, hacer una rueda de sumas y restas tipo:
  - Profesor: 333 + 100.
  - Alumno: 433.
  - Profesor: Por 100.
  - Alumno: 4 333, etc.

7.2. Si el intercambio cultural de información está resultando interesante, se podría realizar un cuadro con toda la información en la pizarra.

LIBRO DE EJERCICIOS: para consolidar, pueden realizar el ejercicio n.° 8.

8. ¿Cuánto ganan los españoles? (2)

- Comprensión auditiva sobre el vocabulario de puestos de trabajo y profesiones y los números a partir del 100.

8.2. Después de realizada la actividad, por parejas, los alumnos podrían elaborar una noticia radiofónica similar. Tendrían que redactar la noticia y preparar un ejercicio parecido al de la actividad, utilizando el vocabulario aprendido en las actividades 7 y 8. La leerán en voz alta a otra pareja y sus compañeros deberán completar los huecos con las cifras que digan en la noticia. Posteriormente, realizarán la corrección.

9. Están buscando...

- Trabajar los adjetivos y expresiones adecuadas para la descripción de personas en el ámbito laboral.
- Familiarizar a los alumnos con los anuncios de ofertas de trabajo.

9.1. Le proponemos que haga una puesta en común para aclarar dudas de vocabulario si surgieran. Comente con los alumnos: "¿Dónde se busca trabajo?". En España, una posibilidad es consultar los periódicos, en cuyas secciones dominicales aparecen identificados normalmente con una separata de color salmón.

9.3. Insista en las expresiones del *Fíjese*. Para verlas en contexto, pida a sus estudiantes que las subrayen en los cinco anuncios del apartado 9.1.

Para terminar. Ofertas de empleo en prensa escrita. En la transparencia 5 encontrará la reproducción de páginas de periódico con ofertas de empleo. Comente con sus estudiantes cuestiones de formato, del tipo de letra, del vocabulario usado, del tipo de información que aparece... comparándolo con los anuncios de sus países. Si es posible, pida a los alumnos que lleven al aula un anuncio de oferta de empleo de su país; si se imparten clases fuera del país de los alumnos, podrán encontrar un ejemplo en Internet. Analice con ellos si las expresiones del *Fíjese* (apartado 9.3.) también aparecen en su idioma.

LIBRO DE EJERCICIOS: para consolidar, pueden realizar el ejercicio n.º 9.

TRANSPARENCIA 5:	Ofertas de empleo.

11. Escribe

- Expresión escrita.
- Creación de un anuncio de oferta de trabajo.

11.1. Antes de iniciar el trabajo de esta actividad, pida a sus alumnos que busquen información sobre la empresa Freixenet, así conocerán sus productos, el estilo corporativo... (si es posible, solicítelo a sus estudiantes en la clase anterior, o realice esta actividad en un Aula multimedia o de recursos si tienen acceso a Internet: < http://www.freixenet.es/ >). Esta información les ayudará en su trabajo y en el conocimiento de una empresa española.

Freixenet realiza cada año un anuncio publicitario en Navidad que ya se ha convertido en un clásico de esas fechas. Si tiene la posibilidad, proyecte en clase alguno de esos spots publicitarios. Sería conveniente que facilitara a sus alumnos papel tamaño DINA3, rotuladores gruesos de diferentes colores, que impriman fotos de Internet, etc., para que realicen la actividad.

Posteriormente, se muestran en la clase los trabajos realizados.

11.2. En la puesta en común, puede aprovechar el contexto para comentar si conocen el cava español y qué otras marcas les son familiares (Juvé y Camps <http://www.juveycamps.com/>, Codorniú <http://www.codorniu.es/>, Blancher <http://www.blancher.es/>, etc.). El cava es un producto de gran tradición familiar que se produce en Cataluña principalmente.

12. Diferencias culturales

- Culturales: Comparación de carácter de los empleados según su nacionalidad.
- *Ser* y *estar* + adjetivos de carácter.
- Expresar opinión y contrastar información.

12.1. Antes de empezar, conviene que se asegure de que se entiende el significado de todos los adjetivos.

Sería bueno realizar el juego del *memory* con estos adjetivos y sus antónimos. Deje que lo elaboren los propios alumnos.

12.2. Insista en las expresiones señaladas en el ejemplo. Si fuera necesario, escríbalas en formato gigante en la pizarra. Corrija a sus alumnos en el uso de *ser* y *estar* con el adjetivo adecuado.

Para la puesta en común, pueden hacer un recuento de las coincidencias adjetivales para cada nacionalidad y después, analizar el tema de los estereotipos.

13. Lectura

- Comprensión lectora.
- Aprendizaje de vocabulario.

13.1. y **13.2.** Después de que los estudiantes hayan leído en silencio el texto y completado las dos columnas de "palabras ya conocidas" y "palabras nuevas", vuelvan a leerlo, esta vez en voz alta, por diferentes alumnos y pida al resto de estudiantes que escuchen sin leer el texto.

Para trabajar la comprensión (y antes de entrar a explicar el significado de las palabras desconocidas), divida la clase en dos grupos: unos tendrán que formular preguntas de comprensión y los otros responder, por ejemplo:
   ¿Está Jorge Martínez contento con su trabajo?
   ¿Qué va, para él, después del trabajo en su vida?
   ¿A qué dedica su tiempo libre?

También puede aprovechar la ocasión para que redacten un breve párrafo con las acciones habituales de Jorge Martínez y practicar, de paso, el presente de indicativo.

Después de este trabajo de explotación del texto, pida a los estudiantes que vuelvan a revisar la columna de palabras nuevas, ¿pueden entender su significado o necesitan alguna explicación? Hagan la puesta en común entre todos. Tome nota de las palabras que mayor dificultad presenten al grupo para seguir trabajándolas.

Para terminar. Pida a un voluntario que se siente mirando a sus compañeros y con la pizarra a su espalda. Usted escriba uno de los vocablos difíciles en ella; los alumnos deberán explicarlo sin decirlo, hasta que el alumno-voluntario lo descubra.

LIBRO DE EJERCICIOS: para consolidar, pueden realizar el ejercicio n.º 6.

Tarea final

Un equipo de trabajo ideal

Reflexionar y definir el equipo de trabajo ideal incluyendo información de la empresa, del departamento, del equipo, del puesto, del perfil de las personas, de los valores que aportarían los alumnos al equipo y del salario. Los estudiantes utilizarán los recursos lingüísticos vistos en la unidad.

DINÁMICA DE AULA

Para formar grupos de tres puede optar por colgar una cartulina en la pared al comenzar la unidad (o una sesión antes de la tarea final) y que escriban ellos mismos los grupos que quieren formar. Indíqueles que sería interesante para el resultado final de la tarea que se agrupen por experiencias profesionales diversas o, en el caso de estudiantes sin experiencia profesional, por intereses diversos, para que así la negociación sea más rica.

Antes de iniciar la actividad y en grupos no mayores de 12 alumnos (en grupos mayores, subdivida la clase), le sugerimos que sus alumnos reflexionen individualmente sobre su último puesto de trabajo o sobre el trabajo que les gustaría hacer, en aquellos casos en los que no tengan experiencia, aplicando los criterios especificados. Completen la ficha 11 "Mi ficha profesional". Después, recoja la información de la puesta en común en la pizarra. Así tomarán conciencia del vocabulario y estructuras que necesitan y ya conocen.

Pase, ahora, a realizar la actividad tal y como se indica en los apartados 1 y 2.

Provea a los alumnos de papel DINA 3 (tamaño en el que se puede ampliar la ficha del apartado 1 de la tarea) para reproducir lo escrito en su libro del alumno y poder ser expuesto ante todo el grupo. Ponga los *pósters* en la pared. Después de la exposición, realice la corrección ortográfica.

Tras la presentación de todos los tríos, se pasa al turno de ruegos y preguntas. Anime a sus alumnos a preguntar, incluso pídales que preparen preguntas por escrito si viera que les resulta difícil (sería conveniente plantear este apartado casi como de carácter obligatorio, de tal forma que todos los grupos formulen un par de preguntas y se centre la atención en la comprensión auditiva). Por último, pasen a la votación.

FICHA 11: Mi ficha profesional.

HISPANOAMÉRICA

- Familiarizarse con el formato de los anuncios de ofertas de trabajo en Argentina.
- Conocer la ciudad de Buenos Aires.
- Familiarizarse con el acento argentino en un contexto real de descripción de actividad de una empresa.

1. Anímeles a que realicen esta tarea sin mirar las actividades anteriores y lancen hipótesis basándose en su memoria. Apunte las hipótesis en la pizarra. Después, pídales que las comprueben mirando la unidad y corríjanlo todos juntos en la pizarra.

Por último, comenten las diferencias del anuncio con su país o países.

Para que los alumnos tengan recopilada toda esta información, utilice la ficha 12, "¿Cómo se dice en...?" que los alumnos deberán completar acabada la actividad. También puede optar por realizar una transparencia e ir incluyendo los resultados de la puesta en común en la misma.

Para terminar. Para que los alumnos conozcan y vean la sección de economía, busque en Internet »la versión digital del periódico *La Nación* < www.lanacion.com.ar/" >. Después, pueden comentar su impresión.

Busquen, mediante un buscador en español, anuncios de ofertas de trabajo en Argentina. Puede ser en periódicos, empresas de trabajo temporal, etc. Los alumnos deben anotar las expresiones, vocabulario, etc. que les parezca diferente. Hagan una puesta en común de sus descubrimientos.

2. La lectura individual debe completarse con un trabajo colectivo del vocabulario nuevo. Deje que los alumnos se ayuden entre ellos situando a los más avanzados con aquellos que poseen menos conocimientos y así intenten deducir el significado del vocabulario en contexto. Anímeles a usar tanto definiciones como sinónimos e, incluso, el lenguaje corporal.

Para terminar. *Viajar por Buenos Aires.* Los alumnos deben buscar en Internet, y siempre en páginas en español, más información sobre Buenos Aires. A continuación, en grupos de 5, deberán explicar los contenidos nuevos sobre la ciudad que no sabían antes de realizar esta actividad.

FICHA 12:	¿Cómo se dice en...?

APÉNDICE WWW

MAPA POR AUTONOMÍAS Y ACTIVIDADES ECONÓMICAS

Objetivo: tener un primer acercamiento a la actividad empresarial de las diferentes comunidades de España.

Dinámica: los alumnos, en grupos de 3, pueden buscar información sobre empresas españolas (cómo se llaman, dónde están, qué están haciendo actualmente...) y crear un mapa por autonomías de actividades económicas.

Después, hacen una presentación apoyada visualmente en un mapa de España donde pueden dibujar los logos de dichas empresas en la Comunidad autónoma correspondiente. Transparencia 1 (Unidad 1).

Sería muy interesante que los estudiantes se repartieran las diferentes comunidades, de forma que en la puesta en común completen cada uno su mapa.

Otra opción es que cada grupo aporte los datos de una o dos empresas de cada comunidad, con el objetivo de que ellos conozcan la ubicación de cada una y se familiaricen con sus nombres.

FICHA 13:	Mapa por autonomías y actividades económicas.
TRANSPARENCIA 1:	Mapa de España y sus comunidades autónomas.

Algunas páginas de interés para realizar la actividad (le recomendamos que usted las visite antes por si considerara necesario establecer una ruta para aquellos estudiantes que puedan sentirse más perdidos en Internet o más inseguros con su nivel de español):

- **Portal de la Administración Comercial Española:**
  http://portal.icex.es/
- **Administraciones Autonómicas**:
  http://www.admiweb.org/organismos/AA/

Si le interesa, aquí tiene las direcciones *web* de las Autonomías españolas (también las podrá encontrar en la dirección *web* arriba indicada):

- **Comunidad Autónoma de La Rioja**
  http://www.larioja.org/
- **Comunidad de Madrid**
  http://www.madrid.org/
- **Comunidad Foral de Navarra**
  http://www.cfnavarra.es/
- **Comunidades autónomas**
  http://www.sispain.org/spanish/politics/autonomo/
  Historia y procesos autonómicos en España. Desde el servidor Sí, Spain.
- **Comunitat Autonoma de les Illes Balears**
  http://www.caib.es/
- **Generalitat de Catalunya**
  http://www.gencat.es/
- **Generalitat Valenciana**
  http://www.gva.es/
- **Gobierno de Aragón**
  http://www.aragob.es/
- **Gobierno de Canarias**
  http://www.gobcan.es/
- **Gobierno de Cantabria**
  http://www.gobcantabria.es/

- **Gobierno de la Ciudad Autónoma de Ceuta**
  http://www.ciceuta.es
- **Gobierno de la Ciudad Autónoma de Melilla**
  http://www.camelilla.es/
- **Gobierno de la Región de Murcia**
  http://www.carm.es/
- **Gobierno del Principado de Asturias** http://www.princast.es/servlet/page?_pageid=68&_dad=portal301&_schema=PORTAL30
- **Gobierno Vasco**
  http://www.euskadi.net/
- **Junta de Andalucía**
  http://www.juntadeandalucia.es/
- **Junta de Castilla y León**
  http://www.jcyl.es/
- **Junta de Comunidades de Castilla-La Mancha**
  http://www.jccm.es/
- **Xunta de Galicia**
  http://www.xunta.es/

TEST UNIDAD 3

Selecciona la opción correcta.

1. Mi jefa ideal................mucho.
- ☐ a. trabajas
- ☐ b. colaborada
- ☐ c. lee
- ☐ d. organizo

2. Él es una persona ...., trabaja en publicidad.
- ☐ a. creativa
- ☐ b. creativo
- ☐ c. creativas
- ☐ d. creativos

3. Yo, casi siempre, ...en las actividades sociales de mi empresa.
- ☐ a. oigo
- ☐ b. trabajo
- ☐ c. participo
- ☐ d. escribo

4. ¿(Tú)........ siempre en la oficina?
- ☐ a. Vas
- ☐ b. Llego
- ☐ c. Vienes
- ☐ d. Comes

5. Freixenet también ....
.... vino en California.
- ☐ a. está vendiendo
- ☐ b. vender
- ☐ c. llega a
- ☐ d. compra

6. ¿Cuánto .... el jefe de recursos humanos de tu compañía?
- ☐ a. cobro
- ☐ b. está
- ☐ c. cobra
- ☐ d. es

7. Buscamos una persona............ iniciativa para el puesto de director de marketing.
- ☐ a. con
- ☐ b. de la
- ☐ c. para
- ☐ d. a

8. .... acostumbrado a trabajar en equipo.
- ☐ a. No soy
- ☐ b. Estoy
- ☐ c. Soy
- ☐ d. Es

9. Es jefe de contabilidad en una empresa familiar y .... contento con su salario.
- ☐ a. estar
- ☐ b. es
- ☐ c. está
- ☐ d. son

10. Yo .... que los alemanes son pragmáticos.
- ☐ a. en cambio
- ☐ b. pensar
- ☐ c. estoy
- ☐ d. creo

Completa.

11. El barrio de la Boca en Buenos Aires es profundamente ....

12. En Argentina llaman a los españoles "........................".

13. El salario de un ingeniero es aproximadamente de cuarenta mil euros anuales.
- ► ¿Cuánto?
- ▷ Sí, sí, es de (escribir en números) .... euros.

14. Mi sueldo es de 72 352 euros. (Escribir en letras)
....

15. Las personas con gran capacidad de análisis son ....

16. "Estar concentrado" es lo opuesto de "estar ....".

17. Al llegar a la oficina, primero abro el correo electrónico y a......................, ¡el teléfono!

18. Nosotros no comemos con las visitas .... nunca en la oficina.

19. Los japoneses son formales y precisos, ... los españoles son creativos y flexibles.

20. RECEPCIONISTA
Se .... persona joven, responsable y sociable.

COMENTARIOS:

PUNTUACIÓN:
/20

Unidad 4

1. ¿Qué hora es?

- Las horas.

1.1. Para contextualizar la actividad, comience dibujando un gran reloj en la pizarra con la hora que es en ese momento. Pida a los alumnos que miren los dibujos de la actividad y, señalando el reloj dibujado en la pizarra, pregunte: "¿Qué hora es?". Escriba la hora debajo del reloj en números y letras (ejemplo: 6.00, "Son las seis en punto").

Pida a 8 alumnos que dibujen la hora de los relojes de la actividad en la pizarra y que la escriban completa debajo.

Comente con toda la clase si en su lengua o en otras lenguas la forma de decir la hora es similar y escriban los resultados en la pizarra.

1.2. Sugerimos que corrijan comparando sus respuestas con las de sus compañeros para seguir potenciando el trabajo en equipo.

Para terminar. Un concurso: todos los alumnos se sientan frente a la pizarra a unos tres pasos de distancia (si fuera un grupo muy numeroso haga dos grupos). El profesor dice una hora y gana el primer alumno que llega a la pizarra y la escribe correctamente.
Recuerde: antes de empezar la actividad escriba los nombres de sus alumnos en la pizarra para contabilizar, junto al nombre de cada uno de ellos, los puntos conseguidos.

2. ¿La hora digital?

2.1. Para situar a los alumnos, dibuje en la pizarra un reloj de agujas y un reloj digital y pregúnteles si hay diferencias.

Escuche la audición y vuelva a preguntarles si hay diferencias en la forma de decir la hora de los relojes de la pizarra.

2.2. Los alumnos realizarán la lectura individualmente. Pídales que subrayen el vocabulario nuevo.

En pequeños grupos, comentarán este vocabulario, animándoles a que no traduzcan. El profesor ayudará con las palabras desconocidas. Hagan una lectura colectiva en voz alta, cada alumno una frase; el profesor escribirá las palabras que tengan dificultad de pronunciación en la pizarra, las dirán nuevamente y los alumnos deberán escribir una frase con ellas. A continuación, deben leer las frases en voz alta y comentar los errores gramaticales y de pronunciación.

Organizarse en la empresa

Después podrá realizar la ficha 14, en donde los alumnos deben identificar las imágenes.

FICHA 14: Busca la pareja.

3. ¿A qué hora abre...?

- Preguntar por la hora y responder.
- Los períodos del día.
- Hablar de los horarios del país.

3.1. Antes de empezar, divida la clase en dos grupos, grupo A y grupo B.

Los alumnos leen primero la información del cuadro individualmente. Luego, cada grupo soluciona los problemas de vocabulario con ayuda del profesor.

Un alumno de A se reúne con un alumno de B y pasan a realizar la actividad.
Insista en la pregunta que deben hacer a su compañero, asegúrese de que la conocen y de que la formulan correctamente.

3.2. Recuperamos los verbos aprendidos en las unidades 3 y 4. Explíqueles qué hace usted durante un día de su vida utilizando una entonación especial cuando emplee las expresiones incluidas en el *Fíjese*. Por ejemplo:

"*Por la mañana* trabajo. A las ocho en punto *de la mañana* llego al trabajo. A las dos y media *del mediodía* como en la cafetería de la escuela y también *a mediodía* me tomo un café".

Escriba dichas expresiones en la pizarra reproduciendo el esquema del *Fíjese*.
Los verbos aprendidos son: *hablar, comer, preparar, escribir, leer tomar, llegar, abrir.*

Corrijan la actividad 2 en voz alta toda la clase; aproveche la ocasión para repasar el alfabeto (necesitan decir las letras de cada reloj) y la pronunciación.

Entregue una fotocopia a cada estudiante de la ficha 15. El profesor la corregirá personalmente y comentará en la siguiente sesión los errores más repetidos por los estudiantes en sus escritos.

Si tiene un grupo multicultural, haga pequeños grupos para que comenten sus trabajos.

FICHA 15: Mi vida en mi país.

LIBRO DE EJERCICIOS: para consolidar, pueden realizar el ejercicio n.º 2.

4. El organigrama

- El organigrama de una empresa.
- Presentación de la empresa.

4.1. Pida a los alumnos que observen con atención el organigrama durante 60 segundos. Avíseles cuando sólo les quede 15 segundos. Aclare las posibles dudas de vocabulario.

Proyecte la transparencia 6 y completen el organigrama entre todos.

Reflexión en grupo. Pregúnteles: ¿Cómo se imaginan Elecnes?
- ¿Es multinacional o nacional?
- ¿Es pequeña, mediana o gran empresa?
- ¿De qué sector es?
- ¿Desde cuándo existe? ¿Empresa antigua o moderna?
- ¿Es una empresa familiar?
- ¿Cuál es el país de origen?

Los alumnos deben argumentar sus respuestas.

4.4. Durante las presentaciones, los alumnos que escuchan y preguntan deberán dibujar el organigrama de la empresa del alumno que hace la presentación. Cuando acaben, deben enseñarle su dibujo al alumno que ha hecho la presentación para ver si es correcto.

Después de las presentaciones y del dibujo del organigrama, los alumnos deben rellenar la tabla de la ficha 16.

TRANSPARENCIA 6:	El organigrama.

FICHA 16:	Nuestras empresas.

Para terminar. *Buscamos en Internet.*

Busque en la página de Iberia el organigrama:
http://www.iberia.com/OneToOne/gateway_es.jsp
En el enlace ACERCA DE IBERIA, abra GRUPO IBERIA y a continuación ORGANIGRAMA. El profesor puede imprimirlo y repartir copias en la clase o utilizar el aula de informática para que los mismos alumnos busquen la información después de darles las instrucciones de cómo llegar al organigrama.

Pídales a sus alumnos que lo transformen en formato de cajas. Cuelgue en la pared los trabajos y decidan cuál es el mejor.

A continuación, pídales que hagan el organigrama de una de las compañías más importantes de su país. Si tienen acceso a la sala de ordenadores, déjeles que busquen información sobre ella. Harán una presentación en pequeños grupos sobre el organigrama de esta compañía.

5. La agenda

- Los días de la semana.
- Familiarizarse con la agenda.
- Concertar una cita.

5.1. Antes de empezar, divida la clase en dos grupos, grupo A y grupo B.

Los alumnos leen la información de las agendas del *Libro del alumno* individualmente. Luego, cada grupo soluciona los problemas de vocabulario con ayuda del profesor.

En la pizarra. Divida la pizarra en dos, una parte la asignará al equipo A y la otra al equipo B. Cada equipo consultará su agenda y elaborará dos columnas: en una escribirá INFINITIVOS DE MI AGENDA y, en la otra, INFINITIVOS QUE NECESITO PARA MI AGENDA.

Las soluciones son:

Alumno A

Infinitivos de mi agenda	Infinitivos que necesito para mi agenda
Reunirse	Jugar al tenis
Revisar	Tener una cita con...
Entrevistar	Tener una comida con...
Llegar	Ir a natación
Cerrar	Ir al aeropuerto...
Visitar	Ir al cine...
Almorzar	Ir de viaje a ...

Alumno B

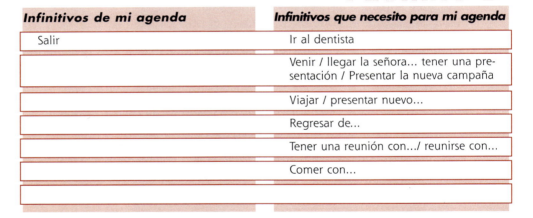

Infinitivos de mi agenda	Infinitivos que necesito para mi agenda
Salir	Ir al dentista
	Venir / llegar la señora... tener una presentación / Presentar la nueva campaña
	Viajar / presentar nuevo...
	Regresar de...
	Tener una reunión con.../ reunirse con...
	Comer con...

Ahora, en grupos, los alumnos conjugarán las tres primeras personas de cada verbo.
Utilice la ficha 17.
Si sus alumnos necesitan ayuda sobre el presente de indicativo pueden encontrarla en el *Apéndice gramatical* págs. 177 y 178 y en la 188 y siguientes.

5.2. El alumno A se reúne con un alumno B y pasan a realizar la actividad.

Insista en las preguntas que deben hacer a su compañero; asegúrese de que las conocen y las formulan correctamente. Presente el verbo "poder" y las expresiones "tener libre", "estar libre".

LIBRO DE EJERCICIOS: para consolidar, pueden realizar los ejercicios 8 y 9.

FICHA 17: Presentes de indicativo.

Unidad 4

6. Mi agenda de trabajo

- Los meses del año.
- La agenda. Planificación.

6.1. Para aprender o recordar los meses del año se recomienda el uso de la transparencia 7.

Léala o, si lo considera posible, cántenla todos juntos. Tras la actividad explique dónde está Pamplona, qué es San Fermín, etc. Si lo necesita, encontrará información en http://www.sanfermin.com/
Pregunte a sus estudiantes:
¿Cuántos meses del año faltan y cuántos se mencionan en la canción?

Corrija individualmente la ortografía de los alumnos mientras ellos escriben en las agendas.

6.2. Para corregir. Necesitará un bloc de *post-it*. Mientras los alumnos hablan con sus compañeros, usted paséese por la clase y escriba los errores de sus alumnos en los *post-it*, ¡Un error por *post-it*! Póngaselo al alumno en su libro, brazo… Cuando acaben la actividad, cada alumno lee los suyos y se corrigen entre toda la clase.

6.3. Antes de que hagan su presentación, recuerde a sus alumnos las **Palabras para ordenar el discurso** del cuadro de la Unidad 3, pág. 50, o los **Indicadores de anterioridad y posterioridad** del *Apéndice gramatical* pág. 175. Por ejemplo, puede escribir uno en la pizarra y pedirles que le digan ellos expresiones de la misma "familia".

Pídales que las usen en sus presentaciones.

LIBRO DE EJERCICIOS: Para consolidar, pueden realizar los ejercicios 3 y 4.

TRANSPARENCIA 7:	Los meses del año.

7. ¿Qué día es hoy?

- Verbos reflexivos.
- Adverbios de tiempo.

7.1. Lea el diálogo en voz alta mientras sus alumnos le siguen.

En parejas, repiten el diálogo dramatizándolo. Comente con sus alumnos qué palabras les presentan dificultad al pronunciarlas y qué palabras son completamente nuevas para ellos.

Explique los verbos reflexivos. Puede remitirles al *Apéndice gramatical*, pág. 178.

LIBRO DE EJERCICIOS: para consolidar, pueden realizar el ejercicio n.º 7.

8. Entrevistas

Responsabilidades en una empresa.

8.1. Tras realizar la actividad tal y como se indica, pregunte a sus alumnos para qué sirven los signos de interrogación y la coma. Explique cómo se deben entonar las preguntas y cómo se deben hacer las pausas. Ponga ejemplos de la lectura. Corrija la actividad con toda la clase leyendo cada alumno un párrafo. Pídales que hagan un esfuerzo en la pronunciación y la entonación.

8.2. Corrija este ejercicio trabajando en parejas. Las dudas las comentarán posteriormente en una puesta en común.

10. Escribe

- Expresión escrita.
- Ubicación de la información en un impreso de correos.
- Reconocimiento del documento de envío de paquetes.

Contextualice la actividad dibujando en la pizarra un paquete.
Recuérdeles qué es Correos y, si lo considera necesario, remítalos a la actividad 10 de la Unidad 1 del *Libro del alumno*.
Ayude a sus alumnos con el vocabulario, cada vez que le pregunten una palabra o pregunten a un compañero un significado o vea que buscan en el diccionario, escriba esa palabra en la pizarra.
Presente a sus alumnos las dos empresas de envíos más importantes de España. Hágalo utilizando las paginas *web* de estas compañías.
- www.mrw.es/
- http://www.seur.es/central.htm

Para terminar. Un concurso: usted explicará una palabra de las escritas en la pizarra durante la actividad; el alumno que descubre y dice primero la palabra gana. Para hacer el recuento de puntos, escriba el nombre del alumno junto a la palabra que haya dicho ese alumno.

LIBRO DE EJERCICIOS: para consolidar, pueden realizar el ejercicio n.º 10.

11. Diferencias culturales

- Diferencias de estilo laboral.
- Revisión de países y gentilicios.

11.1. Antes de empezar el trabajo, puede realizar una actividad de *Fuego graneado*. Se ponen todos de pie, los alumnos dicen consecutivamente un país y su gentilicio. El que se equivoque, pasa a ocupar la última posición. Recomendamos hacer esta actividad en grupos de doce alumnos.

11.3. Comenten los resultados. Si tiene una clase multinacional, analice las afinidades por países. ¿Coinciden en sus valoraciones de INNECESARIO, NECESARIO y MUY NECESARIO?

En clase de monoculturales, discutan por qué esas características son necesarias y por qué no.

12. Lectura

- Comprensión lectora.

12.1. Antes de realizar la lectura, los estudiantes por parejas pueden hacer el ejercicio previo de vocabulario utilizando la ficha 18.

Después, deben leer individualmente y subrayar el vocabulario trabajado y el nuevo. En pequeños grupos, se comenta el vocabulario nuevo, las dudas en gran grupo.

¡Hagan por turnos la lectura en voz alta! ¡Corrija la pronunciación! Lea usted también algún párrafo para que los alumnos lo tengan como modelo correcto.

LIBRO DE EJERCICIOS: para consolidar, pueden realizar los ejercicios 1, 5 y 6.

FICHA 18:	Vocabulario.

Del producto a la venta

Diseñar el organigrama, marcar las responsabilidades de cada área de negocio y determinar los horarios de una nueva empresa. Los estudiantes se valdrán de los recursos lingüísticos trabajados en la unidad.

DINÁMICA DE AULA
Dado que el negocio relaciona moda y actividades al aire libre, los grupos de trabajo se podrían hacer según la preferencia de los alumnos: grupos de 3 alumnos interesados en la moda y grupos de 3 alumnos interesados en la naturaleza.

La instrucción 1 necesitará un profundo trabajo de vocabulario. Le sugerimos que dé a sus alumnos la ficha 19 para apuntar y recordar el vocabulario.

Anime a sus alumnos a buscar en mapas la ubicación de las ciudades que aparecen en el cuadro MERCADO. Si fuera posible, sería bueno darles un mapa de España y un mapamundi o que ellos realicen un pequeño croquis.

Es importante que el trabajo de las tareas se realice en español. Deje trabajar a sus alumnos libremente, es el momento de practicar como si estuvieran en el mundo real. No intervenga, pero vaya por los grupos, su presencia hará que los estudiantes que no usen el españo vuelvan a él.

Durante las actividades 1 y 2, ocupe un segundo lugar; sus alumnos pueden trabajar solos, pero tome nota de los errores que se produzcan; ellos deben darse cuenta de que van a ser corregidos posteriormente, asi se esforzarán por utilizar correctamente el español.

Le sugerimos que prepare una lista de unos 12 errores y, en la sesión siguiente, inicie la clase con esa lista para que ellos descubran donde está el error y lo corrijan; un título sugerente a esa lista sería "Somos buenos, pero…" o "Los errores son mi posibilidad de mejorar".

En la actividad 3, ayude a sus alumnos proporcionándoles el material que se indica y corrigiéndoles los errores ortográficos. Sería bueno que lo que lean sus compañeros no tenga errores.

Comenten en gran grupo las presentaciones y las respuestas de la actividad 4.

FICHA 19:	Vocabulario.

HISPANOAMÉRICA

- La agenda.
- Concertar una cita.
- Diferencias en los presentes de indicativo y las partes del día.
- Poner en contacto al alumno con los acentos argentino y mexicano.

1, 2, 3, 4. En las actividades 1, 2, 3 y 4 se aprenden diferencias entre el argentino, el mexicano y el español mediante dos conversaciones.

Ahora, los estudiantes podrían elaborar un diálogo entre Pablo Daniel Galán, de Argentina, y Ligia Noriega de México. Deben utilizar las expresiones y modos aprendidos en estas páginas. Después escenificarán sus diálogos. Sus compañeros deben identificar las expresiones y modos lingüísticos de ambos países que han sido utilizados en los diálogos y escribirlos en una lista.
Proporcione paneles grandes de papel para que elaboren las listas. Por último, recuerden cómo lo dirían en España.

APÉNDICE WWW

CONOCER MEJOR MÉXICO

Consulten las páginas del *Apéndice* WWW sobre México:

- www.economista.com.mx
- www.mexicocity.com.mx
- www.mexicoweb.com.mx/

En grupos de tres, elaborarán un texto sobre México (capital, número de habitantes, rasgos de la población, cultura, datos económicos actuales, etc.) en el que incluirán cinco datos incorrectos. Pueden tomar como ejemplo la actividad 5 de las *Páginas de Hispanoamérica*, *Libro del alumno*, pág. 85, sobre Argentina.

A continuación, se reunirán con otro grupo y leerán su texto, sus compañeros deben descubrir los gazapos.

Para terminar. ¿Cuánto sé sobre México? Divida la clase en dos grupos. Tienen 5 minutos para elaborar un cuestionario sobre México. Recuerde a sus alumnos los pronombres interrogativos: *¿Quién?, ¿Cuándo?, ¿Qué?, ¿Cuánto?* y *¿Dónde?*

Ahora, harán las preguntas al equipo contrario. Gana el equipo que más respuestas correctas tenga. Escriba las respuestas en la pizarra.

FICHA 20: Conocer mejor México.

Respuestas test 3:
1. a; 2. b; 3. d; 4. a; 5. c; 6. a; 7. c; 8. a; 9. c; 10. a; 11. lunes; 12. querés; 13. alquilan; 14. anteayer; 15. a; 16. destinatario-remitente; 17. me; 18. abren/ operan; 19. de; 20. Quién.

TEST UNIDAD 4

Selecciona la opción correcta.

1. .... la una.
- ☐ a. Es
- ☐ b. Está
- ☐ c. Son
- ☐ d. Busca

2. .... la tarde, los bancos cierran ....las 3.
- ☐ a. De-por
- ☐ b. Por-a
- ☐ c. Por-para
- ☐ d. Horario-horas

3. ► ¿A qué hora.............. a trabajar?
  ▷ A las ocho y cuarto.
- ☐ a. voy
- ☐ b. sales
- ☐ c. te levantas
- ☐ d. empiezas

4. ► ¿Qué (tú)........ los fines de semana?
  ▷ Estoy con la familia y leo mucho.
- ☐ a. haces
- ☐ b. trabajas
- ☐ c. hace
- ☐ d. ves

5. Todos los viernes .... con nuestro jefe.
- ☐ a. vemos
- ☐ b. reunión
- ☐ c. nos reunimos
- ☐ d. saludamos

6. En el departamento de ventas nos encargamos.......... la distribución.
- ☐ a. de
- ☐ b. entre
- ☐ c. con
- ☐ d. para

7. ► ¿Qué día.............hoy?
  ▷ Miércoles, veintitrés.
- ☐ a. está
- ☐ b. hay
- ☐ c. es
- ☐ d. somos

8. ► (Yo) ....que hablar contigo urgentemente.
  ▷ Tengo una reunión ahora, pero a las once acabo.
- ☐ a. Tengo
- ☐ b. Estoy
- ☐ c. Tienes
- ☐ d. Vamos

9. ¿............empleados hay en tu departamento?
- ☐ a. Cuándo
- ☐ b. Es
- ☐ c. Cuántos
- ☐ d. Qué

10. El miércoles llega de viaje y el jueves .... una reunión muy importante a mediodía.
- ☐ a. tiene
- ☐ b. anteayer
- ☐ c. va
- ☐ d. mañana

Completa.

11. El primer día de trabajo de la semana es el.............................

12. En España dices "quieres" y en Argentina dices "..................".

13. En México "rentan autos" y en España ".................. coches".

14. En España, el día anterior a ayer es ....

15. ¿Tienes libre el jueves .... las doce y media?

16. En un impreso de Correos, la persona que recibe el envío es el .... y la que envía es el ....

17. Yo .... ocupo de la investigación de nuevos productos.

18. Las cuatro bolsas españolas .... cinco días a la semana.

19. Soy responsable.................. redactar los contratos de los nuevos empleados, trabajo en el departamento jurídico.

20. ¿................. es el presidente de la compañía?

COMENTARIOS:

PUNTUACIÓN:

*/*20

Unidad 5

1. Buscar el hotel adecuado

- Vocabulario relacionado con el hotel y sus servicios.
- Recursos lingüísticos para describir y comparar.
- Expresar preferencias.

1.1. Introduzca previamente el contexto del primer epígrafe: los hoteles y sus servicios. Haga una lluvia de ideas sobre las palabras que conocen en español para introducir el vocabulario de 1.1. y 1.3. Puede apoyarse en fotos (un ascensor, una pista de tenis, un campo de golf, sauna, salón de…, lavandería, etc.) para que ellos digan el nombre en español si lo conocen.

1.3. Le proponemos hacer una lectura en voz alta de las fichas, así podrán seguir practicando los números (*Apéndice gramatical*, pág. 171). Los demás estudiantes prestan atención a la lectura en voz alta sin seguir el texto (si lo desea, hágales escribir las cifras que aparecen por cada hotel, use la ficha 21).

Aunque cada vez es más internacional la calidad de los hoteles según su categoría y las estrellas que exhiben, conviene comentar cuál es la situación en España, donde los hoteles de tres estrellas son muy recomendables, y los de cuatro, de muy buena calidad. Los de cinco estrellas son de lujo.

1.5. En el *Apéndice gramatical*, pág. 177, encontrará más información sobre las oraciones comparativas.

Adjetivos y sus significados: para presentar el significado de los adjetivos puede utilizar la ficha 22, en la que le proponemos trabajar el vocabulario por antónimos con dibujos alusivos. Puede añadir otros adjetivos con las fotos o dibujos que crea convenientes.

Soluciones de la ficha 22: 1. barato - b.caro; 2. antiguo -d. moderno; 3. ruidoso -a. tranquilo; 4. bonito -c. feo.

Para terminar. Servicios de hoteles: propongan a sus estudiantes que busquen en Internet otros hoteles en Barcelona cerca de la zona marcada. A partir de los datos de los hoteles que encuentren, tienen que preparar fichas semejantes a las presentadas en 1.3. y comparar con sus compañeros la nueva oferta creada con el hotel que han seleccionado en la actividad 1.6. Si opta por incluir esta dinámica, aproveche para hacer una puesta en común en la pizarra con la puntuación de los hoteles preferidos.

LIBRO DE EJERCICIOS: para consolidar, pueden realizar el ejercicio n.º 10.

FICHA 21:	Hoteles.
FICHA 22:	Adjetivos y sus significados.

2. Sobre hoteles españoles

- Los adjetivos y pronombres demostrativos.
- Preguntar y responder por hoteles.

2.1. En una primera audición, sugiérales que identifiquen los cuatro hoteles de los que se habla. Póngales de nuevo la audición, ahora por partes, y que los estudiantes comenten los servicios y características de cada hotel que identifiquen (puede hacerlo escribiendo en la pizarra el vocabulario que vaya saliendo).

Otra propuesta para incidir en la explotación de la comprensión auditiva es tener preparada una transparencia con el vocabulario de la descripción de los hoteles. Los estudiantes tienen que asociar cada expresión con su hotel correspondiente. Si no dispone de retroproyector, puede tenerlas escritas en la pizarra o repartir fotocopias.

2.2. Primero, repase el *Fíjate* con los estudiantes para que luego no tengan problemas al completar la actividad. Esta práctica formal se completa con la tabla de morfología de 2.3. Para la corrección, puede sugerirles que consulten el *Apéndice gramatical*, pág. 176.

3. El parador: un gran hotel

- Recursos lingüísticos para describir hoteles.
- Comprensión lectora y expresión oral.

3.1. Se destaca especialmente la construcción con *muy* y *mucho*, en la que habrá que hacer hincapié para que el estudiante la use en su discurso. Pida a los estudiantes que completen las columnas con todos los términos que aparecen en el texto (si le parece oportuno, pueden añadir más vocabulario a la tabla siguiente):

Muy...	Mucho	Mucha	Muchos	Muchas	Significado
Muy bonitos					

3.2. Proponga un esquema en el que se recojan los contenidos que tienen que incluir, más o menos, en el discurso que desarrollen. A continuación, convendría que pusieran por escrito las principales ideas que quieran transmitir, para, después, comentárselas a sus compañeros.

Ficha 23: Le ofrecemos a continuación una propuesta de los datos a incluir por los estudiantes (también puede servirle de esquema para que, en la puesta en común, los estudiantes completen con los datos de sus compañeros; esto ayudará a que presten más atención).

LIBRO DE EJERCICIOS: para consolidar, pueden realizar los ejercicios n.º 2 y 9.

FICHA 23:	Tabla.

4. En el hotel

- Recursos lingüísticos para solicitar servicios en un hotel cara a cara y por teléfono.
- Pedir y conceder permiso.

4.1. Pida a sus estudiantes que las lean individualmente y respondan a la pregunta "¿Dónde está el cliente en cada caso?". Las respuestas son:

1. En el restaurante
2. En el ascensor
3. En la habitación
4. En el pasillo de la habitación
5. En los pasillos del hotel
6. En recepción
7. En la habitación
8. En recepción
9. En la habitación
10. En la habitación.

4.2. Después de la puesta en común, podría hacer una simulación con un narrador y un actor, de tal forma que el narrador leería la situación descrita en 4.1. y el otro estudiante escenificaría lo que se diría con la frase de 4.2. Para llevar a cabo esta propuesta, puede formar parejas y repartir las situaciones, o puede preparar dos bolas de papel de diferente color, de tal forma que una represente las situaciones (por ejemplo, naranja) y otra lo que se dice (por ejemplo, azul). Usted tira las bolas a dos alumnos, y tendrán que resolver la primera situación; estos se las tiran a otros dos, que resolverán la segunda, y así hasta que terminen con todas o usted considere finalizado el juego.

4.3. En la transparencia 8 reproducimos una posible respuesta para que pueda mostrarla en transparencia a la clase (un cuadro en blanco para que usted pueda completarlo con las respuestas de los estudiantes o, si lo prefiere, un cuadro completo para la puesta en común final). La clasificación de expresiones respondería a:

- Pedir o solicitar algo: **quisiera, puede** + infinitivo, imperativo (**tome nota, añada dos zumos, permítame...**).
- Ser cortés: **por favor, gracias.**
- Conceder permiso: **adelante, pase.**

Para etiquetar el resto de expresiones, conviene referirse a las situaciones de 4.1.; así, por ejemplo, pasa con e (indicar a alguien que se ha equivocado), f (preguntar al recepcionista con usted), i ("¡Ah! Bien, gracias", aceptar una explicación de alguien o respuesta de alguien), j ("Sí, un momento...", solicitar un tiempo de espera al interlocutor).

4.4. La respuesta parte del análisis de los recursos lingüísticos de 4.3.: el imperativo aparece con las fórmulas de cortesía, por ejemplo, **por favor** (a, g); en ocasiones se repite el imperativo (b).

El imperativo tiene usos muy diversos en español, pero hay que advertir que, sin un contexto correcto, pueden sentirse como órdenes por el receptor, de ahí la importancia de la reflexión de los puntos 4.3. y 4.4.

Para terminar.
- Morfología del imperativo: pida a sus estudiante que escriban todos los verbos en imperativo que aparecen para las personas usted y ustedes.
- Reloj de arena: forme grupos de tres personas y que en dos minutos pongan ejemplos de los usos vistos con el imperativo. Gana el grupo que más ejemplos aporte. La puesta en común la puede hacer en la pizarra y aprovechar para ver los diferentes contextos que aporten los estudiantes.

LIBRO DE EJERCICIOS: para consolidar, pueden realizar el ejercicio n.º 7.

TRANSPARENCIA 8: Funciones comunicativas relacionadas con la actividad 4.3.

5. "Mens sana, in corpore sano"

- Preguntar y expresar gustos.
- Vocabulario de deportes y aficiones.

5.1. Introduzca el tema del que trata la actividad y asegúrese de que reconocen las actividades representadas en los dibujos.

> *Profesor*: "Durante un viaje de negocios, ¿creéis que es apropiado jugar al tenis? ¿Y hacer yoga?"
>
> *Profesor*: "¿Y vosotros? ¿Quién juega al baloncesto?"

Si los estudiantes practican otras actividades físicas, aproveche para ampliar el vocabulario.

5.2. Deténgase en el diálogo para descubrir la interacción completa, es decir, cómo se dirigen al interlocutor para preguntar:

> **– A mí me gusta (mucho)... ¿Y a ti?**

5.4. Asegúrese de que interpretan correctamente el gráfico del *Fíjate* de la página 95, con el **también** y el **tampoco**.

Para terminar. Los gustos de la clase: como puesta en común final, los estudiantes pueden comentar cuál es la actividad en la que más han coincidido con los compañeros de la clase, para lo cual tendrá que ampliar el cuadro de la morfología del verbo *gustar* a **"Nos gusta"** (ver *Apéndice gramatical*, pág. 179). Puede aprovechar la ocasión para que utilicen otros verbos como **encantar** y **fascinar**.

LIBRO DE EJERCICIOS: para consolidar, pueden realizar el ejercicio n.º 5.

6. ¿Qué acaba de hacer el Sr. Azúa y qué va a hacer?

- Recursos lingüísticos para hablar del pasado reciente y del futuro más próximo.
- Vocabulario sobre acciones habituales.

6.1. Antes de empezar la actividad y para contextualizarla, escriba en la pizarra, por ejemplo, "pasado y futuro" y pregúnteles "¿Qué **acabo de hacer**?... Sí, efectivamente, **acabo de escribir** en la pizarra y ahora **vamos a empezar** con la actividad 6.1.", remarcando el uso de las expresiones con las que trabajaremos.

Si les sirve de clave de interpretación, comparta con sus estudiantes la idea de que el dibujo representa posibles acciones encadenadas.

6.3. Para la dinámica indicada de grupos de tres, puede establecer un "dos contra uno". Es decir, por turnos, dos estudiantes tratan de averiguar lo que un compañero ha escrito, para lo cual los otros dos compañeros se turnan lanzando las preguntas.

LIBRO DE EJERCICIOS: para consolidar, pueden realizar los ejercicios n.º 3, 4 y 6.

7. La soledad del viajero de negocios

- Intercultural: jornadas laborales en diferentes países europeos, promedio de viajes y ocupación del tiempo libre durante un viaje de trabajo.
- Comprensión lectora.

7.1. Para introducir el texto, pregunte a sus estudiantes si viajan mucho en su trabajo, o si creen que en su país se viaja mucho con carácter profesional; si creen que cuando se viaja las jornadas son más largas o, por el contrario, sobra tiempo para conocer la ciudad; qué les gusta hacer en el escaso tiempo de ocio cuando están de viaje…

7.2. Les puede indicar que subrayen las palabras o expresiones que les resultan complejas o que no entienden, para adelantar el trabajo de 7.6.

7.7. Si no tiene muchos estudiantes, procure que todos manifiesten su opinión sobre la información transmitida de cada país, así se podrá asegurar de que la actividad 7.4. se ha realizado.

El tema de los tópicos da mucho de sí en una clase. Es interesante que si hay gente de las nacionalidades descritas, contrasten la información:

"¿Vosotros os veis reflejados en la información que se da?"

Las nacionalidades que no están representadas pueden comentar cuál es la situación en sus países:

"Los japoneses viajamos mucho y trabajamos once horas diarias…". También pueden describirlo en primera persona. Lo interesante es conocer y respetar esas diferencias sin emitir juicios de valor ofensivos.

Para terminar. Una página de revista: cada estudiante escribe su experiencia y preferencias respecto a los contenidos comentados en el texto. El objetivo será trabajar la expresión escrita para crear una página de revista con los datos de cada uno. Si hay más de un estudiante de cada nacionalidad, pueden trabajarlo en grupo.
Corrija los errores.

LIBRO DE EJERCICIOS: para consolidar, pueden realizar el ejercicio n.º 8.

9. Escribe

- Expresión escrita: realizar una reserva de hotel por Internet.

Antes de empezar, pida a sus estudiantes que identifiquen el tipo de documentos que aparecen en la pág.100: un pasaporte, una tarjeta VISA, una tarjeta de embarque de avión y una tarjeta de visita. Compruebe que conocen los datos que figuran en esos documentos.

Una vez hecho esto, no tendrán problemas para completar la reserva de hotel. Para la corrección, puede utilizar la transparencia 9, completándola con lo que le indiquen sus estudiantes.

TRANSPARENCIA 9:	Formulario de reserva de hotel.

10. Diferencias culturales

- Cultural: conocer los países de los compañeros a través de sus ojos.

10.1. Lea en voz alta las siete oraciones para solucionar posibles problemas de compresión. Después, deje que los estudiantes completen la información y se intercambien los datos. A continuación le proponemos una tabla para organizar la información de la actividad:

País/ ciudad Estudiante	Hotel	Espectáculo nocturno	Regalo	Monumentos	Área compra	Visitas	Comida

Si los estudiantes se muestran curiosos y receptivos a la dinámica de esta actividad, aproveche para ampliar la lista de frases de este apartado con aquellas informaciones que le indiquen y que tendrán que completar de forma sistemática todos los estudiantes.

10.4. En la puesta en común, pida aleatoriamente a cada estudiante que le comente la situación en otro país, de tal forma que el objetivo de búsqueda de información entre los compañeros se cumpla.

11. Lectura

- Comprensión lectora.
- Cultural: conocer las preferencias de los compañeros como turistas.

11.1. Lea el título del texto y pregunte a sus estudiantes sobre las expectativas que les crea, es decir, si les da pistas sobre el contenido del texto. Después, cada estudiante lee el texto en silencio para aportar algún tipo de información (con carácter general).

Haga una segunda lectura, esta vez en voz alta, antes de que los estudiantes realicen 11.2. No hace falta que se detenga en detalles de vocabulario, a no ser que sea necesario para comprender el sentido general o responder a las preguntas de 11.2.

11.3. Deje que sus estudiantes realicen con libertad este apartado, mientras usted atiende particularmente las dudas que le planteen.

Tarea final

Encuentro de directivos de una multinacional

A partir de un supuesto de trabajo, se ofrece información auténtica sobre diferentes hoteles. Los estudiantes tienen que discriminar la información y seleccionar el hotel más adecuado al supuesto de trabajo. Además, tienen que preparar una *Guía de frases útiles* para los turistas.

DINÁMICA DE AULA

Conviene leer todas las instrucciones de la tarea y aclarar los objetivos si hubiera problemas. Deje unos minutos para que, en grupos de tres, vuelvan a leer las instrucciones y puedan exponer las dudas que surjan en voz alta (es probable que se aclaren las dudas de otros grupos).

3. Llegados a este punto, puede optar por que los estudiantes lo negocien juntos completamente o que cada uno reflexione sobre una propuesta para luego hacer la puesta en común en grupos de tres.

HISPANOAMÉRICA

- Información sobre alojamientos y hoteles en Argentina y México: vocabulario específico de las instalaciones.

1 y 2. Pida a sus estudiantes que lean los textos de estas dos actividades. Adviértales que parte del vocabulario específico no lo van a entender, pero que se trata, en esta primera lectura, de una comprensión general del texto.

Antes de hacer la puesta en común, pueden realizar una lectura en voz alta por diferentes estudiantes. Preste atención a cuestiones de acentuación y entonación de frases.

Comenten entre todos lo que sí han entendido.

Para terminar. Si conviene, puede indicarles páginas de turismo y que busquen información de hoteles, por ejemplo, con el objetivo de cubrir el presupuesto de trabajo de la tarea final. Tienen direcciones de referencia en la ficha del apéndice www.

APÉNDICE WWW

HOTELES PARA HACER NEGOCIOS

Objetivo: seleccionar dos provincias de España y buscar un hotel que ofrezca salón de reuniones para 30 personas y servicios adicionales para el tiempo de ocio (el hotel o la ciudad).

Dinámica: los estudiantes ya disponen de las direcciones de las diferentes autonomías. Se trata de buscar en las opciones de "turismo" y "hoteles" o "alojamiento" de los menús de navegación de las diferentes páginas *web* la información que necesitan (ver la unidad 3 en este *Libro del profesor*). También pueden consultar las páginas de turismo:

Instituto de Turismo de España (TURESPAÑA): http://www.tourspain.es/

Patrimonio Nacional: http://www.patrimonionacional.es

Le comentamos a continuación dos posibles opciones para organizar la dinámica:
- Los estudiantes, en parejas, eligen las ciudades sobre las que quieren trabajar (puede aprovechar para que comenten su ubicación usando *norte, sur, este* y *oeste*).
- Reparta las autonomías por parejas, eligiendo ellos el hotel y la ciudad dentro de esa autonomía.

Para la puesta en común, los estudiantes tendrán que comentar muy esquemáticamente la información obtenida y justificar su elección. Los compañeros tendrán que tomar notas y, al final, votar por dos posibles destinos (ciudades y hoteles) en España (si lo prefiere, también puede organizar la información básica que tienen que buscar los estudiantes en la *web* respecto a los servicios de cada hotel y la ciudad, de esta forma centrará más la actividad; o negociar con los estudiantes la información que se va a buscar, anotándola en la pizarra).

FICHA 24: Hoteles para hacer negocios.

Respuestas test 3:
1. b; 2. c; 3. c; 4. a; 5. d; 6. d; 7. b; 8. a; 9. b; 10. a; 11. Canarias; 12. vos; 13. ascensor; 14. mí-me gusta- tampoco; 15. acabo de tomar; 16. pensión - pensión; 17. equivoca/ha equivocado; 18. individual; 19. que; 20. porque.

El ocio y el negocio

TEST UNIDAD 5

Seleccione la opción correcta

1. El hotel Ritz es .... agradable como el hotel Princesa Sofía.
- ☐ a. más
- ☐ b. tan
- ☐ c. muy
- ☐ d. menos

2. Nuestra nueva oficina tiene menos metros .... la anterior, pero está en un lugar más céntrico.
- ☐ a. tanto
- ☐ b. tantos
- ☐ c. que
- ☐ d. más

3. Mi hotel tiene .... pistas de tenis, ¡es perfecto! Siempre encuentras una libre para jugar.
- ☐ a. muy
- ☐ b. muchos
- ☐ c. muchas
- ☐ d. mucho

4. ¿Qué prefieres .... restaurante chino o .... pizzeria italiana?
- ☐ a. este-esta
- ☐ b. estos-esta
- ☐ c. este-esos
- ☐ d. este-aquel

5. ...., ¿puedo ayudarle?
- ☐ a. Estoy permitiendo
- ☐ b. Permitir
- ☐ c. Permito
- ☐ d. Permítame

6. A mí .... gusta jugar al golf los sábados.
- ☐ a. mi
- ☐ b. tu
- ☐ c. ellos
- ☐ d. me

7. ¿A ti te .... las clases de aeróbic?
- ☐ a. gusta
- ☐ b. gustan
- ☐ c. gusto
- ☐ d. gustar

8. ► ¿Qué vas a .... después del trabajo?
▷ Voy a .... al gimnasio, ¿te quieres venir?
- ☐ a. hacer-ir
- ☐ b. ir-ir
- ☐ c. haces-voy
- ☐ d. hacer-acabo

9. Ahora viajo mucho, por ejemplo, acabo .... llegar de EE.UU. y pasado mañana salgo .... Japón.
- ☐ a. a-de
- ☐ b. de-hacia
- ☐ c. para-hasta
- ☐ d. en-a

10. Los Paradores Nacionales de España están .... bien equipados, el servicio es buenísimo.
- ☐ a. muy
- ☐ b. pocos
- ☐ c. mucho
- ☐ d. muchos

Completa

11. Tenerife es la isla más grande de las Islas ....

12. En España dices "usted, Sr. Dos Santos..." y en Argentina dices "............, Sr. Dos Santos...".

13. En México dicen "elevador" y en España "................".

14. ► A (yo)................. no .... nada hacer natación.
▷ A mí, ... Me parece que es bastante aburrido.

15. ► ¿Quieres tomar un café?
▷ No gracias, ... un café en el hotel.

16. ► ¿Qué tipo de régimen desea, desayuno, media pensión o ....completa?
▷ .... completa, el restaurante de su hotel es excelente.

17. ► ...Suena el teléfono: ring, ring...
▷ ¿El Sr. Fonts?
► No, se ....

18. ► Hola buenos días, quería saber el precio de una habitación.
▷ ¿Para cuántas personas?
► Para una.
▷ Bien. El precio de la habitación...................... es de 108 euros.

19. Los hoteles rurales están más cerca de la naturaleza .... los hoteles de las ciudades.

20. ► ¿Cuál prefieres? ¿El Ritz o el Sheraton?
▷ Yo prefiero el Ritz .... es más antiguo. No sé, me gusta más.

COMENTARIOS:

PUNTUACIÓN:

/20

Unidad 6

Actividad para contextualizar la unidad

Antes de empezar la unidad y para presentar el tema a sus alumnos, proyecte la transparencia 10.

Asegúrese que conocen todas las palabras del cuadro. Puede explicarlas usted, puede dibujarlas, puede pedir a sus alumnos que las busquen en el diccionario, puede pedir que sean ellos quienes las expliquen…

Pídales que, individualmente, añadan tres: deben pensar en tres palabras en su idioma que no conozcan en español y buscar la traducción en el diccionario. Le recomendamos que lleve usted algunos diccionarios a la clase para aquellos alumnos que no lo tengan. Pongan en común las palabras que hayan elegido y escríbalas en la pizarra.

Ahora, agrúpelos en tríos; deben escribir una definición de "éxito" en la que incluyan palabras que estén en la pizarra.

Puesta en común de las definiciones: se elige la mejor y se escribe en un gran mural que estará colgado en la clase durante toda la unidad.

Escriban en este póster el vocabulario nuevo que aparezca, ideas sugerentes que aporten sus alumnos, conceptos interesantes, anécdotas… que vayan surgiendo durante las sesiones dedicadas a "El éxito en el mundo laboral".

El último día: recuperará este mural y reformularán la definición.

> **TRANSPARENCIA 10:** ¿Qué es el éxito?

1. Los secretos de un directivo

- Entrar en contacto con el pretérito perfecto: morfología y usos.
- Indicadores del pasado.
- Hablar del pasado.

1.4. Para mayor información del pretérito perfecto acuda al *Apéndice gramatical,* pág. 183.

1.5. Para terminar. *Nos ponemos en marcha.* Todos de pie deben buscar a alguno de sus compañeros que haya realizado alguna de las actividades trabajadas en la lección para su desarrollo profesional. Sólo pueden preguntar a cada compañero una sola vez. Antes de empezar deben escribir las preguntas, tomarán nota de las respuestas (ficha 25 ó 26).

Se hará una puesta en común. Pregunte a sus alumnos cuál ha sido la respuesta más divertida y la respuesta más interesante.

Vaya apuntándolas en el panel de la primera actividad o en un panel suplementario, si ya lo tienen completo.

Si usted tiene alumnos sin experiencia profesional, reconduzca esta actividad hacia el "Logro personal" utilizando la misma dinámica.

En la ficha 26 tiene algunas sugerencias para motivar a sus alumnos.

LIBRO DE EJERCICIOS: para consolidar, pueden realizar los ejercicios n.º 2 y 3.

FICHA 25:	Logros en el desarrollo de la carrera profesional.

FICHA 26:	Logros más importantes en el desarrollo de la vida personal.

2. La entrevista

- Hablar del pasado.
- Hablar de la experiencia personal.
- Perífrasis: *dejar de* + infinitivo y *seguir* + gerundio.

2.1. Insista en la práctica de las dos perífrasis verbales presentadas a los alumnos. Puede hacerlo de forma colectiva. Divida la pizarra en dos áreas. Dibuje en una de ellas una señal de "Stop" y en la otra una señal de "Vía obligatoria". En la zona del Stop, dibuje una actividad que usted haya dejado de hacer durante su vida, por ejemplo "dejar de fumar", y en la zona de la flecha lo que sigue haciendo, por ejemplo "dar clase". Ahora, dé una tiza a cada uno de sus alumnos, ellos deben hacer lo mismo. Anímeles a dibujar, no son válidas las palabras, no importa la perfección del dibujo…

Cuando acaben de dibujar, comenten qué han dejado de hacer y qué siguen haciendo y expliquen el porqué de la siguiente forma:

Seleccione uno de los dibujos y pregunte de quién es; a otro alumno, pregúntele "¿Qué crees que ha dejado de hacer XXX?". El alumno responderá y usted preguntará a otro alumno "¿Por qué crees que ha dejado de ……… XXX?", vuelva a hacer la misma pregunta a otro alumno o a toda la clase.

Si sus alumnos no son participativos, le recomendamos que haga las preguntas directamente a cada uno de ellos, así deberán hablar todos; si su clase es muy participativa, lance la pregunta a todo el grupo e inmediatamente obtendrá respuestas.

Por último, pregunte al autor del dibujo: "¿Es cierto que has dejado de… porque…?"

Si necesita más información sobre las perífrasis verbales, la puede encontrar en el *Apéndice Gramatical*, pág. 187.

3. Todavía no lo he conseguido

- Profundización del pretérito perfecto: *ya* y *todavía no*.
- La experiencia profesional.

3.2. El dialogo de esta actividad es muy rico, incluye interesantes giros coloquiales y expresiones muy repetidas en el mundo de los negocios. Así que le sugerimos trabajarlo un poquito más.

Después de haber escuchado una vez el diálogo (actividad 3.2.), busquen la trascripción en el *Libro de ejercicios*, grabación 21, pág. 101.
Vuelvan a escucharla y léanla individualmente al mismo tiempo.
Pasen a trabajar el texto con la ficha 27.

A continuación, hagan un ejercicio de lectura en voz alta toda la clase. Mientras sus alumnos leen por turnos, escriba en la pizarra las palabras que ofrecen dificultad de pronunciación; recomendamos que no haya más de 10 palabras. Asegúrese de que se entiende el significado de las mismas.
¡Recuerde! Usted debe leer un párrafo también, así sus alumnos tendrán un modelo correcto.
Pronuncien todos juntos estas palabras de la pizarra.
A continuación, le proponemos que realicen una práctica de expresión escrita: los alumnos deben elegir cinco palabras de la pizarra y escribir una frase con cada una de ellas. Corríjalas después de la clase. En la siguiente sesión, cuelgue alguno de los trabajos corregidos junto al mural inicial, póngale un titulo, por ejemplo "¡El más correcto! ¡El más creativo! ¡El más simple!…".

3.3. Intente hacer esta actividad sin usar la lectura, sólo la memoria; así los estudiantes irán interiorizando la estructura sin el apoyo del texto. Después, si fuera necesario, usen la lectura.

Corrija en puesta en común la actividad.

FICHA 27: ¡Nuevas expresiones!

---

4. Mi vida laboral

- Práctica del pretérito perfecto. Pronombres personales en función de objeto directo.
- La vida laboral.

4.2. LIBRO DE EJERCICIOS: refuerce la práctica de los pronombres de objeto directo realizando el ejercicio n.º 5.

Encontrará la explicación completa de los pronombres en función de objeto directo en el *Apéndice gramatical*, pág. 185.

A continuación, usted actuará a modo de ejemplo. Escriba en la pizarra un pequeño texto sobre lo que ha hecho usted hoy hasta ese momento, utilice sólo los pronombres de objeto directo estudiados en el *Fíjese* de la actividad 4.2. Al escribir, deje mucho espacio interlineal para el siguiente paso. Por ejemplo: *"Esta mañana, para llegar a la escuela, lo he cogido a las 7.00, lo he estado esperando durante 15 minutos y he pensado: ¡Llegas tarde, hoy llegas tarde! Pero, ¡no! La he empezado a las 9.00 de la mañana, como siempre. Y, además, antes me lo he tomado en la cafetería, charlando con mis colegas… "*, etc. Elabore un texto que a sus alumnos les pueda ser familiar; llevan ya juntos algunas sesiones y conocen algo de sus actividades diarias en el trabajo. También puede hacerlo empezando por "Este mes…" o "Este año"; hágalo con un marcador temporal perteneciente al pretérito perfecto.
Ahora, subraye los pronombres y pregúnteles "¿Qué es "LO"? ¿Un novio, un coche, un…?" Vaya escribiendo las opciones junto a cada pronombre de objeto directo.
Ahora, ellos entran en acción. Pídales que escriban un texto similar de su vida laboral y, a continuación, deben leerlo a su compañero de la derecha y éste debe adivinar qué es cada pronombre.

4.3. Para una mejor corrección de la actividad 4.3. pídales que la escriban en una hoja para que usted pueda corregirla después de clase y comentar los posibles problemas que ofrecen los pronombres en la siguiente sesión.

5. Este puesto no es para mí

- Hablar del pasado.
- Un nuevo puesto de trabajo.

5.1. Empiece leyendo usted la lista en voz alta. Ahora, repita la lectura, pero cada frase la leerá un alumno diferente. Insista en la pronunciación, parando la lectura en cada momento cuando se produzca un error.

Trabajen el vocabulario con la ficha 28. En la transparencia 11, le ofrecemos posibles soluciones.

5.2. Lleve a la clase otro gran panel de papel para poner en la pared y titúlelo: "¡Tenemos un problema!".

Tras realizar la actividad 5.2., cada grupo debe elegir el problema más grave de los presentados en su grupo de trabajo. Escríbalo en el panel y comenten todos juntos por qué creen que es grave.

LIBRO DE EJERCICIOS: para consolidar el pretérito perfecto, pueden realizar el ejercicio n.º 6.

FICHA 28:	¡Más palabras!

TRANSPARENCIA 11:	¡Más palabras! Soluciones.

6. Los problemas en un nuevo puesto

- Recursos lingüísticos para ordenar el discurso: presentar información contrastándola, solicitar la repetición de lo dicho, verificar si se ha entendido bien, finalizar una conversación.
- Un nuevo puesto de trabajo.

Para centrar la actividad le sugerimos escribir en la pizarra uno de los siguientes títulos:

- Si sus alumnos tienen poca experiencia laboral escriba "¡TENGO UN NUEVO TRABAJO…! ¿PUEDO TENER PROBLEMAS?" Pida a sus alumnos que piensen en los problemas que pueden tener al desempeñar un trabajo nuevo; probablemente se expresen en presente, y le contesten con la estructura:

"Puedo tener problemas para saber dónde están los diferentes departamentos" o "no sé donde puedo tomar un café", no importa, sólo queremos ambientar la actividad.

- Si sus alumnos tienen experiencia laboral dilatada, titúlelo: "EN MIS NUEVOS TRABAJOS, ¿QUÉ PROBLEMAS HE TENIDO DURANTE LOS PRIMEROS MESES?"

Pídales que usen su experiencia laboral y se expresen en pretérito perfecto, ya **han tenido** esa experiencia.

Las respuestas podrían ser del tipo, "He necesitado tiempo para entender el estilo de mi grupo, mis colegas son muy indirectos, no dicen las cosas claras".

6.1. Divida la clase en dos grupos, grupo A y grupo B.

Los alumnos leen primero la información del cuadro individualmente. Luego, cada grupo soluciona los problemas de vocabulario con ayuda del profesor.
Un alumno de A se reúne con un alumno de B y pasan a realizar la actividad 6.2. Insista en que deben usar cuantas más veces mejor las expresiones incluidas en el cuadro del *Fíjese*; si viera que durante sus intervenciones no las usan, al acabar, pregúnteles: "¿Cuántas expresiones has usado? ¿Cuántas veces?" y, al darse cuenta de que no lo han hecho, si es necesario, hágales repetir la actividad, así los alumnos mejorarán la expresión oral.

7. ¿A quiénes han nombrado?

• Describir la formación y experiencia laboral.

7.1. Para ayudar en la comprensión del vocabulario, escriba los infinitivos de los verbos de esta actividad dentro de un óvalo en la pizarra.

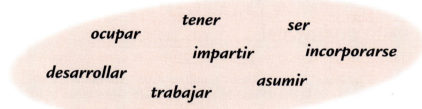

Jugando con sus alumnos. Inicie la actividad con unas rápidas preguntas:
 – *Profesor*: "Jorge, ¿has trabajado durante muchos años en la compañía XXXXX?".
El alumno debe responder; si no lo hace, haga la misma pregunta a otro alumno hasta obtener una respuesta correcta, y usted concluirá con esa palabra y la borrará de la pizarra diciendo:
 – *Profesor:* "¡Ya conocemos el significado de trabajar!".

Otro ejemplo:
 – *Profesor*: "María, ¿cuándo has asumido la responsabilidad de directora general de tu compañía?".
Probablemente la alumna diga "Nunca he asumido esta responsabilidad"; la respuesta sería correcta, ha dado a entender que conoce el significado de la palabra *asumir*; si dijera que sí, que lo ha asumido y usted sabe que no es cierto, bromee respecto a eso:
 – *Profesor:* "¡Ah! Y, ¿tienes mucho estrés? ¡Eres muy rico!".

Ante la perplejidad que expresará, repítale la pregunta a ella o a otro alumno; si no llegara a obtener una respuesta que demuestre que se entiende la palabra "asumir", márquela en rojo en la pizarra, búsquenla en el diccionario y escríbanla en todas los lenguas maternas que estén presentes en su aula.
Haga las preguntas usando estos verbos siempre dentro del contexto laboral. Imitando el contexto que encontrarán los alumnos en los cuadros de esta actividad.

Tras la actividad 7.2., realice la ficha 29 trabajando con Internet. Aquí los alumnos harán un trabajo de traducción de su idioma al español. Anímeles a que usen el diccionario.

FICHA 29: Para saber más.

8. Un artículo de prensa

- Recursos lingüísticos para pedir y expresar opinión; expresar acuerdo y desacuerdo; para llamar la atención sobre algo.

8.2. Realicen la lectura en voz alta toda la clase, simultáneamente con la cinta. Para que los alumnos no se molesten unos a otros, le recomendamos que los ponga cerca de la pared y mirando hacia ella, les ayudará. Explique a sus alumnos que deben imitar la entonación y ritmo del modelo que escuchan para practicar la entonación. Repita la lectura una segunda vez, los alumnos mejorarán mucho y se sentirán más motivados.

Si observa que sus alumnos tienen dificultades con el vocabulario, realice ahora una actividad para solucionar las dificultades. En este caso, podría pedir a sus alumnos que escribieran ellos mismos las dificultades en la pizarra y las resolvieran todos juntos.

9. El éxito profesional

- Práctica de las expresiones para pedir y expresar opinión; expresar acuerdo y desacuerdo.

9.2. Para "obligar" a sus alumnos a utilizar estas expresiones, distribuya en cada grupo un tablero de la ficha 30 donde encontrará las expresiones trabajadas en la actividad 6. Necesitará fichas de colores; por ejemplo, puede usar las del juego del parchís. Entregue a cada alumno 4 fichas, puede usar también clips para sujetar los papeles o monedas, pero asegúrese que en cada grupo cada alumno tiene fichas diferentes que le identifican.

Corrección de errores. Deje a sus alumnos libres para conversar, pero no olvide corregir sus errores al finalizar la actividad. Escriba en la pizarra "¿BIEN O MAL?" a modo de titular. Apunte en la pizarra frases correctas e incorrectas que digan sus alumnos. Al acabar la actividad, toda la clase las lee y decide si están bien o mal. Junto a la frase correcta dibuje una cara sonriente y junto a la incorrecta una cara triste y entre todos decidan cómo sería correcta.

LIBRO DE EJERCICIOS: para consolidar el pretérito perfecto, pueden realizar el ejercicio n.º 9.

FICHA 30: ¡Para mejorar!

11. Escribe

- Expresión escrita.
- Redacción de un informe: características y apartados.

Antes de empezar, haga una lluvia de ideas sobre "Cómo debe ser un informe". Deje que los alumnos expresen sus ideas sobre el tema. A modo de conclusión, escriba en la pizarra las 5 más comentadas; estas serían alguna de las conclusiones a las que podrían llegar: claridad, sencillez, estructura (introducción, cuerpo y conclusión), frases no más largas de 20 palabras o no uso de extranjerismos. Si necesita más información sobre este tema, puede visitar la página www.szamora.freeservers.com/redaccion.htm.

Trabajen en profundidad el vocabulario de esta actividad para asegurarse de que sus alumnos entienden correctamente el contenido del informe que deben escribir. Para ello le sugerimos: pida a sus alumnos que escriban 2 palabras que no entiendan en 2 papeles, recójalos y métalos en una bolsa; sáquelos de uno en uno con "una mano inocente" y entre todos intenten explicarla, el profesor puede participar activamente para ayudar a sus alumnos.

11.1. En la página http://www.inem.es/ciudadano/p_empleo.html del Ministerio de Trabajo y Asuntos sociales de España, encontrará información sobre las características de un contrato laboral, los tipos de contratos vigentes en España... Introduzca a sus alumnos en este tema pidiéndoles que hagan una búsqueda en Internet de páginas similares en sus países. Hagan una puesta en común del resultado de la búsqueda.

12. Diferencias culturales

- Diferencias culturales.
- La publicidad.

12.4. Prepare cinco *pósters* grandes para recoger las argumentaciones de sus alumnos.

Para terminar. Lleve a la clase cinco anuncios de revistas y periódicos españoles (calcule que haya dos por alumno). Pida a sus alumnos que los observen con atención.

Deben elegir un anuncio que piensen que en su país podría ser igual y tendría éxito y otro que en su país sería imposible que existiera.

Haga dos grupos, cada alumno deberá explicar a sus compañeros su elección y argumentarla. Insista en las estructuras para expresar opinión, etc. trabajadas durante esta unidad.

13. Lectura

- Compresión lectora.

LIBRO DE EJERCICIOS: Después de hacer las actividades 13.1. y 13.2. y de corregir la 13.2., realice en clase el ejercicio n.º 4 del *Libro de ejercicios*.

Tras corregirlo, abra un debate: "Los *pros* y *contras* de Internet".

Tome nota de 10 frases que contengan errores, preséntelas al día siguiente por escrito y corríjanlas todos juntos. Podría titular el ejercicio: "Los diez errores que he cometido... ¡Y nunca más voy a cometer!".

Tarea final

Un director con éxito

Elaborar un *test* y un decálogo.

Contextualice la *Tarea final* utilizando el mural con el que empezó la unidad didáctica. Pida a sus alumnos que observen toda la información recopilada durante esta unidad, deles entre 5 y 10 minutos.

Ahora reflexionen todos juntos sobre "¿Qué añadiríamos a esta definición?".

DINÁMICA DE AULA

Tómense 10 minutos para leer y comprender los diferentes pasos que tiene esta tarea, si fuera necesario haga un esquema en la pizarra.

En el momento de la tarea, los alumnos deben trabajar sin una fuerte tutorización del profesor, ellos deben organizarse, así que elija un líder para cada grupo. Las tareas propuestas son propias de RR.HH., por lo que si en su clase hubiera más de un estudiante con experiencia y conocimientos de este departamento, elíjalos como líderes del grupo. En caso contrario, pregunte quién tiene interés en trabajar en el departamento de RR.HH., ellos serán los líderes. Si fueran otras las circunstancias, elija usted a los alumnos que considere que tendrán capacidad de liderazgo.

En esta tarea; el control del tiempo es importante. Todos deben llevar un ritmo similar puesto que van a interactuar con miembros de otros grupos en el punto 2. Para la actividad 1 deles unos 30 minutos y avíseles cada 10 minutos del tiempo que les queda. Para la actividad 2, necesitarán 15 minutos.

Antes de iniciar la actividad 3 asegúrese que en este momento no "inventan nuevos conceptos" sino que extraen conclusiones del trabajo realizado. Consideramos necesaria ahora la intervención del profesor; en caso contrario, el resultado final puede ser muy diferente al objetivo marcado.
En la instrucción de la actividad 3 se sugiere a los alumnos que utilicen el Imperativo, recuérdeles que lo encontrarán en el *Apéndice Gramatical*, pág. 182.
Recuerde la corrección. Antes de pasar al punto 4 corrija los borradores.

Anime a sus alumnos a elaborar presentaciones vistosas, quizás *PowerPoint*, grandes murales, transparencias… Aquí ayúdeles con la ortografía, es importante que sus compañeros lean muestras de español correctas.

Una sugerencia para acabar: voten para elegir el mejor decálogo.

LIBRO DE EJERCICIOS: Para consolidar lo aprendido en esta unidad hagan los ejercicios n.° 1, 7, 8 y 10.

HISPANOAMÉRICA

- Diferencias entre el español de España, México y Argentina.
- Revisión del vocabulario.

1. Lean en voz alta el correo electrónico.

Probablemente sus alumnos tengan curiosidad por escuchar el acento mexicano en un contexto de negocios. Puede utilizar la audición de la siguiente lección (actividad 1 de Hispanoamérica). Insista que no deben entenderlo todo, que es un ejercicio de la siguiente lección, simplemente deben escuchar y fijarse en la entonación.

Si usted es español o española, podría leer la trascripción de esta audición para remarcar la diferencia; si no lo es, tome una audición del libro perteneciente a la unidad 6. Comenten si notan diferencias.

2 y 3. Tras estas actividades, hagan un concurso. En parejas, durante cinco minutos, escriban "¿Cuántos datos recuerdo sobre Hispanoamérica de los aprendidos en la clase de español?". Pasados los cinco minutos haga el recuento en la pizarra.

APÉNDICE WWW

¡VIVAN LAS DIFERENCIAS!

Objetivo: profundizar en el conocimiento de México, especialmente en sus aspectos económicos y familiarizarse con las diferencias lingüísticas del español de México.

Dinámica:

Los alumnos ya han trabajado aspectos geográficos, culturales, y sociales de México. Ahora trataremos de conocer un poquito más su economía y sus diferencias lingüísticas. Divida la pizarra en dos áreas: "Más información sobre México" y "Diferencias entre el español de México y el de España".

En el *Apéndice WWW* busquen individualmente las páginas WWW de México y seleccionen entre todos solamente tres. Sus alumnos deben navegar por estas tres páginas, elegir cinco datos económicos sobre México y tomar nota del vocabulario, expresiones, etc. que noten diferentes o que piensen que son diferentes. Simultáneamente a la búsqueda, deberán escribir en la pizarra lo que vayan encontrando.

No se puede repetir la información.

Comenten todos juntos la información obtenida.

FICHA 31: ¡Vivan las diferencias!

Respuestas test 6:
1. a; 2. c; 3. d; 4. b; 5. a; 6. b; 7. c; 8. b; 9. d; 10. a; 11. ida-vuelta; 12. más; 13. manejan; 14. mí; 15. decir; 16. vendiendo; 17. me; 18. Influenciar; 19. a; 20. en.

TEST UNIDAD 6

Selecciona la opción correcta.

1. Hoy (yo) .... a las 7 de la mañana a la oficina. No tenía sueño y me he dicho, ¡a trabajar!

  ☐ a. he llegado   ☐ c. han llegado
  ☐ b. llegar   ☐ d. llegada

2. Mi jefe ha dejado .... al golf todos los días porque ha tenido su primer hijo.

  ☐ a. jugar   ☐ c. de jugar
  ☐ b. con jugar   ☐ d. jugando

3. Este año (nosotros) .... algunas dificultades con las nuevas inversiones.

  ☐ a. habéis tenido   ☐ c. van a tener
  ☐ b. teniendo   ☐ d. hemos tenido

4. ¿Todavía no (tú) .... el informe de finanzas?

  ☐ a. leer   ☐ c. leemos
  ☐ b. has leído   ☐ d. vas a leer

5. ► Este equipo de I+D ha diseñado un producto perfecto, ¿verdad?

  ▷ Sí, sí, ... ha diseñado después de definir su público objetivo muy bien y parece que va a tener mucho éxito.

  ☐ a. lo   ☐ c. los
  ☐ b. ellas   ☐ d. las

6. Normalmente trabajan 8 horas al día, hoy (ellos) .... 12 horas pero de forma excepcional. Tienen una entrega muy importante mañana.

  ☐ a. está trabajando   ☐ c. he trabajado
  ☐ b. han trabajado   ☐ d. trabajo

7. Perdón, no le he escuchado bien. ¿....................?

  ☐ a. En fin   ☐ c. Puede repetirlo
  ☐ b. Por supuesto   ☐ d. repetir

8. Estoy de acuerdo, ... hay que investigar más sobre el tipo de inversión que necesitamos. Al final, quedará perfecto.

  ☐ a. en   ☐ c. que
  ☐ b. pero   ☐ d. para

9. ► Yo aprovecho el viaje en el tren para leer el periódico todos los días.

  ▷ Pues yo .... leo *online*, cuando llego a casa, me relaja mucho más que ver la televisión.

  ☐ a. le   ☐ c. los
  ☐ b. la   ☐ d. lo

10. Han .... un artículo muy positivo sobre nuestra empresa en su revista. Felicite de mi parte a su redactor.

  ☐ a. escrito   ☐ c. escritura
  ☐ b. escribo   ☐ d. escribir

Completa.

11. "Un viaje redondo" en México, es un "viaje de .... y ...." en España.

12. En España, el pretérito perfecto se usa .... que en Argentina.

13. En España, los directores "dirigen" negocios, en México los directores ".............." negocios.

14. ► Y tú, ¿qué opinas?

  ▷ Para .... esta idea es muy buena, le va a encantar al cliente. Pero hay que preparar mejor la venta.

15. No sé si he entendido bien tu argumento. Tú quieres .... que es difícil encontrar empleados para hacer esta tarea, ¿verdad?

16. La compañía continúa (vender) .... coches con el nombre NOVA.

17. A mí .... parece que nuestro jefe es demasiado reservado.

18. Preparación – Preparar
Influencia – ....

19. El director de esta fábrica ha llegado .... vicepresidente de la compañía.

20. ¿Cuánto dinero vas a invertir .... las acciones de nuestra compañía?

COMENTARIOS:

PUNTUACIÓN:

/20

Unidad 7

Actividad para contextualizar la unidad

Trabaje con la ficha 32 para contextualizar esta unidad.

Defina, conjuntamente con sus alumnos, "empresa pública", "empresa privada" y "ONG".

Las dos primeras tienen fines lucrativos mientras que las ONG nunca pueden tenerlos.

Las empresas públicas son propiedad del Estado, en la mayoría de los casos para asegurar un servicio básico a todos los ciudadanos.

A continuación comentarán o adivinarán la actividad de las empresas incluidas en el cuadro.

Le adjuntamos una breve información sobre cada una de las instituciones.

TELEFONICA DE ESPAÑA, S.A.

Telefónica es una compañía totalmente privada. 1,7 millones de accionistas. Cotiza en el mercado continuo de las bolsas españolas (Madrid, Barcelona, Bilbao y Valencia) y en las bolsas de Londres, París, Frankfurt, Tokio, Nueva York, Lima, Buenos Aires, São Paulo y SEAQ Internacional de la Bolsa de Londres. Sus filiales: Telefónica Móviles, TPI (Telefónica Publicidad e Información) y Terra Lycos también cotizan en bolsa.

CENTROS COMERCIALES CARREFOUR, S.A.

El Grupo Carrefour lidera en España el sector de la distribución. 337 557 395 acciones ordinarias al portador. Las acciones de Centros Comerciales Carrefour, S.A. cotizan en las Bolsas de Madrid. Participan en Carrefour-española dos empresas francesas: Norfin Holder, S.L. y Societe Des Grands Magasins Garonne Adour, S.A.

RED NACIONAL DE LOS FERROCARRILES ESPAÑOLES

Empresa pública que se dedica a los servicios de transportes ferroviarios de viajeros y mercancías. Depende del Ministerio de Fomento.

Según la página web www.e-informa.com estas tres empresas están entre las que tienen mayor número de empleados.

MEDICUS MUNDI

Trabajó en el año 2002 en 148 proyectos de desarrollo en 28 países de América Latina, África y Asia. Se benefician directamente más de 6 millones de personas e indirectamente 3,5 millones más. Mejoran los servicios médicos, desarrollan programas educativos, crean microempresas, potabilizan agua, mejoran la nutrición infantil y forman personal sanitario local.

Sólo actúa en casos de emergencia, provocados por guerras o desastres naturales.

Más de 763 voluntarios contribuyen con su trabajo.

UNICEF

Es la agencia de Naciones Unidas que tiene como objetivo garantizar el cumplimiento de los derechos de la infancia. Obtiene sus ingresos enteramente de contribuciones voluntarias; las fuentes principales son: los gobiernos, las organizaciones gubernamentales, grupos del sector no gubernamental y privados-particulares. Está presente en 158 países.

Por último, todos juntos hablarán de las empresas y ONG de sus países tal como se indica en la ficha 32.

FICHA 32: ¿Cómo definiríamos empresa pública, empresa privada y ONG?

1. JAZZTEL: Titulares de prensa

Introducir a los estudiantes en el uso del pretérito perfecto mediante la historia de una empresa española.

Preguntar y responder por un acontecimiento del pasado.

1.3. Para consolidar la morfología del pretérito indefinido en las terceras personas le proponemos:

- Los alumnos deben escribir en la pizarra todos los verbos aparecidos en la lectura en la forma del infinitivo.
- A continuación, practiquen con la actividad de Fuego graneado: se ponen todos de pie, el profesor dice un infinitivo de los aprendidos en la lectura de la actividad 1.1., un alumno debe conjugarlo en 3.ª persona de singular y el siguiente en la 3.ª de plural; el profesor dice otro infinitivo de la lectura y se repite con los dos alumnos siguientes. El que se equivoca, pasa a ocupar la última posición.

1.4. Antes de empezar, revise los meses del año y los números.

Para los meses, le sugerimos: vaya diciendo números del 1 al 12 de forma desordenada, para cada número los alumnos deben decir el mes que le corresponde; aumente progresivamente la velocidad.

Para los números: aleatoriamente, diga una cifra a un estudiante y él debe decirla a la inversa, por ejemplo:

> *Profesor: 24.*
> *Alumno: 42.*

Para corregir esta actividad, los alumnos deben comparar sus cuadros con el de su compañero y ver si coincide la información.

Al acabar la actividad 1, *Jazztel: titulares de prensa*, presente el pretérito indefinido completo con la ficha 33, "El pasado en pretérito indefinido".

Entregue una fotocopia de esta ficha a sus estudiantes. Individualmente deben completarla escribiendo en cada celda la palabra adecuada.

Corríjanla todos juntos diciendo cada estudiante el número de la celda y la palabra que ha escrito. Usted complete la transparencia 12 al tiempo que ellos van dando las soluciones. Presente esta transparencia siempre que trabajen el pretérito indefinido.

A continuación, reflexionen sobre las terminaciones propias del pretérito indefinido.

> **Profesor:** –¡Volvemos a tener tres grupos! AR, ER, IR. Para el grupo AR... – pida a sus alumnos que señalen con un círculo la terminación de cada persona y las vayan diciendo en voz alta. Por ejemplo: –Para "YO", la vocal "E", con acento... –insista en la correcta pronunciación, deben saber que cuando aprendan el subjuntivo es sin acento y por esta razón ahora deben pronunciar correctamente.

Así sucesivamente con todas las personas.

Para terminar. Lleve una pelota a la clase. Practique con los verbos regulares que sus alumnos ya han aprendido en las sesiones anteriores, más los verbos "ser" e " ir". Lance la pelota a un alumno y diga un pronombre personal, él debe devolverle la pelota diciendo el verbo conjugado correctamente; si el estudiante se equivoca, repítalo con otro; cuando ya lo digan correcto, siga con otro verbo.

Encontrará más información sobre el pretérito indefinido y sus usos en las págs. 183-184 del *Apéndice gramatical*.

| **FICHA 33:** El pasado en pretérito indefinido. |
| **TRANSPARENCIA 12:** El pasado en pretérito indefinido. |

2. La historia de Campofrío

Práctica de verbos regulares e irregulares del pretérito perfecto mediante la historia de una empresa privada española.
Ordenar el discurso en el pasado usando indicadores de tiempo.

2.1. Ayude a los estudiantes con la comprensión y pronunciación del vocabulario del cuadro.

Divida la pizarra en dos áreas, titule una zona "Palabras que conocemos" y la otra "Palabras nuevas".
Lea un verbo y pida que sus estudiantes lo repitan insistiendo en la correcta pronunciación. Pregunte si alguien conoce el significado y, si es así, escriba ese verbo en la columna de "Palabras que conocemos", en caso contrario, en la otra columna. El alumno que la conoce debe explicarla a sus compañeros.
Las palabras que no se conocen se buscarán en el diccionario una vez finalizada la explicación de las palabras que ya conocían.

Ahora repita la actividad de la pelota –explicada en la actividad 1.4., dentro de la propuesta *Para terminar*, de esta unidad– usando los verbos de este cuadro durante unos minutos. Puede construir su propia pelota o cebolla con varios folios de colores envueltos unos sobre otros (de ahí el nombre de cebolla, por la metáfora de las capas), de tal forma que en cada folio aparezca uno de los verbos. Si tiene una clase muy numerosa, puede repartir una pelota o cebolla a cada grupo de tres o cuatro estudiantes.
Tras observar el *Fíjese*, corrijan en parejas la actividad 2.1. y después comenten las dudas que tengan.
Vuelva a escuchar la audición para comprobar las soluciones. Cada vez que escuche un verbo del cuadro, bórrelo de la pizarra.

2.2. Mientras corrige toda la clase la actividad, anime a los estudiantes a que piensen en otras posibilidades, por ejemplo en la primera frase podría ser "Comenzó/ empezó/ nació", comenten las opciones que no son posibles y la razón –usos específicos de las preposiciones y verbos, significados diferentes...

2.3. Le sugerimos repetir la dinámica de la actividad 2.1. para trabajar el vocabulario, sus alumnos ya la conocen y su implementación será muy ágil.

Tras leer el primer *Fíjese* vuelva a la morfología del pretérito indefinido. Trabaje los irregulares de la siguiente manera: en grupos de tres los alumnos eligen un verbo irregular del *Apéndice gramatical*, pág. 188 y siguientes. Procure que elijan un verbo no visto en esta unidad y que sea de uso frecuente. Ofrezca a cada grupo una transparencia y rotuladores de diferentes colores.

Los alumnos deben escribir el verbo en la transparencia y junto a él "trucos" para recordar las diferentes personas.

Por ejemplo: para el verbo "Querer", junto a "quise" podría dibujar un queso porque se parece fonéticamente a la palabra "queso", o unos labios porque se parece a *kiss* en inglés, o las tres primeras letras *qui-* que son iguales que el presente de indicativo… A continuación harán una breve explicación a sus compañeros, que irán tomando notas para recordar las irregularidades del sistema verbal español.

Ahora leerán individualmente el cuadro con información de la compañía. Pídales que subrayen el vocabulario nuevo y que lo comenten en pequeños grupos, anímeles a que no traduzcan, ¡SÓLO en ESPAÑOL! Ayúdeles con las palabras desconocidas. Hagan una lectura colectiva en voz alta, cada alumno una frase, escriba en la pizarra las palabras que ofrezcan dificultad de pronunciación, las dirán nuevamente y los alumnos deberán escribir una frase con ellas. A continuación, deben leer las frases en voz alta, comente los errores gramaticales y de pronunciación.

Realicen el trabajo escrito propuesto en la actividad 2.3. que el profesor corregirá al finalizar la clase.

El mejor trabajo fotocópielo en transparencia y coméntelo al día siguiente con sus alumnos.

Encontrará más información sobre el pretérito indefinido y sus irregularidades en la pág. 184 del *Apéndice gramatical*.

LIBRO DE EJERCICIOS: Para consolidar, pueden realizar los ejercicios n.º 2 y 3.

3. Cruz Roja en el año 1999

Practicar verbos regulares e irregulares del pretérito perfecto mediante la historia de una ONG. Preguntar y responder por un acontecimiento en el pasado.

Para contextualizar la actividad dibuje en la pizarra una cruz roja y una luna roja. Pida a los estudiantes que escriban en la pizarra las palabras que ellos asocian a ambos símbolos. Empiece usted y escriba "ONG". Después discutan por qué las han puesto y si es correcta la información que tienen.

3.1. Para trabajar el vocabulario, apunte en la pizarra, en color rojo, las palabras que usted cree serán dificultosas, por ejemplo: "Oriente medio", "plantilla", "sede", "expatriado", "local"…

3.2. Haga una corrección con toda la clase, haciendo una pregunta de la actividad aleatoriamente a sus alumnos.

Le sugerimos que busquen información de la Cruz Roja en www.cruzroja.es y hagan una puesta en común para analizar si ha habido algún cambio desde 1999, cuáles han sido las ultimas actuaciones, etc.

4. El bienestar privado

Diferencias entre la salud pública y la salud privada.
Pronombres personales en función de objeto directo.

4.1. Si usted prevé que sus alumnos tendrán dificultad al realizar esta audición, le sugerimos que la secuencie utilizando la ficha 34; después, continúe con la actividad 4.2. que corregirán todos juntos.

Soluciones de la ficha 34:

(2) 1. dinero; 2. color; 3. no me gusta; 4. les molesta; 5. te esperan; 6. ticket; 7. juventud; 8. policía; 9. el tiempo amarillo.

(3) Todas las palabras de la columna A.

4.4. Tras la lectura individual, realice una lectura en voz alta de cada diálogo, en simulación por parejas. Insista en la entonación y pronunciación.

4.5. Escriba en la pizarra un pequeño texto sobre lo que hizo usted en su primer trabajo en una empresa o en una ONG. Utilice los pronombres de objeto indirecto estudiados en el *Fíjese*. Al escribir, deje mucho espacio interlineal para el siguiente paso. Por ejemplo:

> *"Trabajé durante dos años en una ONG llamada XXXX. Di clases de español a los inmigrantes recién llegados. Les ayudé a organizar programas, exámenes, etc. Les gustó mucho el trabajo que hice.*
> *Un día, les propuse organizar cursos de formación para otros profesores y ¡les encantó la idea! Enviamos cartas a los profesores que teníamos en la base de datos y les invitamos al curso. Vinieron 50 personas ¡Un éxito!"*

Elabore un texto que a sus alumnos les pueda ser familiar, llevan ya juntos algunas sesiones y probablemente ya conocen algo de su pasado. También puede hacerlo empezando por "En 199..." o "A comienzos de...", hágalo con un marcador temporal perteneciente al pretérito indefinido.

Ahora subraye los pronombres y pregúnteles: "¿Quién es "le"/"les"? ¿Un novio, una...?". Vaya escribiendo las opciones que le den sus alumnos junto a cada pronombre.

Los estudiantes escribirán un texto similar de su vida laboral o de su trabajo en una ONG. A continuación, deben leerlo a su compañero de la derecha y este debe adivinar quién es cada pronombre.

Encontrará más información sobre los pronombres en función de objeto indirecto en la pág. 185 del *Apéndice gramatical*.

LIBRO DE EJERCICIOS: Para consolidar los pronombres de OI "le" y "les", pueden realizar los ejercicios n.º 4 y 9.

FICHA 34: ¡Nuevas expresiones!

5. El seguro de vida

Conocer y analizar diferentes compañías aseguradoras.
Resumir el relato.

En la sesión anterior a la que realice esta actividad, recuerde anunciar a sus alumnos que necesitarán el diccionario para este momento, lleve usted alguno para los que no lo tengan.
Tras formar los grupos y asignar las aseguradoras, trabajarán individualmente.

Para terminar. Folleto de una compañía de seguros.
Tras la actividad 5.2., entregue a cada grupo una transparencia y rotuladores de diferentes colores. Pídales que hagan la primera página de un folleto de una compañía de seguros; deben incluir: nombre, logotipo, iconos, breves explicaciones que diferencien su compañía de la competencia... Deles 20 minutos para prepararse y 5 para hacer la presentación ante la clase.
Por último, hagan una votación: ¿Cuál es la que más nos gusta y por qué?

6. Parte médico de baja

Presentar y practicar con llamadas de teléfono las estructuras de las funciones para informar del objetivo de una llamada, pasar una llamada y despedirse.
Conocer el documento que se expide cuando se necesita una baja médica.

6.4. Para preparar la simulación, proponga a sus estudiantes que primero hagan una improvisación de la situación. Para ello, cada uno se lee sus tarjetas sin leer la de los compañeros a la vez que intentan tomar notas de lo que a cada uno se le ha ocurrido decir. Después, revisan entre todos la conversación a la vista de las instrucciones de las tres tarjetas e intentan mejorarla escribiendo un borrador. Esté atento a otras posibilidades que surjan para las funciones que se están trabajando.

En la puesta en común, pueden aprovechar para, además de hacer la simulación, que los estudiantes comenten la evolución que han tenido desde la improvisación de la primera simulación a la que han preparado.

Sería ideal poder contar con una grabadora por grupo (o un ordenador con micrófono) y transcribir la primera conversación telefónica. La última pueden hacerla delante de toda la clase, una vez que ha sido preparada.

LIBRO DE EJERCICIOS: Para consolidar, pueden realizar el ejercicio n.º 5.

7. Tu empresa: el teléfono roto

Contraste del pretérito perfecto y del pretérito indefinido hablando de la experiencia personal.

Contextualice gramaticalmente esta actividad. Revisen los usos del pretérito perfecto y del indefinido: en la pizarra, escriba en un círculo los marcadores de tiempo del pretérito perfecto y en un recuadro los del indefinido. Pregunte a sus alumnos por qué los han escrito separados.
Para la revisión también puede remitirles al *Apéndice gramatical* págs. 183 y 184.
Vuelva a usar la pelota. Esta vez lance la pelota usando un marcador de tiempo y un pronombre, por ejemplo, "este año-nosotros"; el alumno debe devolver la pelota haciendo una frase con el verbo que él quiera, "Este año nosotros hemos trabajado muchísimo". Escriba los verbos que vayan utilizando en la pizarra, ¡no se puede repetir ningún verbo!
 Ahora realice la actividad tal y como se indica.

7.2. Al mismo tiempo que escribe los puntos negativos en la pizarra, corrija los errores.

9. Escribe

Familiarizarse con el impreso de una compañía aseguradora.
Redactar un correo electrónico.

Al empezar esta actividad insista en que rellenen el formulario sin leer la información de los cuadros grises. Hay datos predeterminados, los que deben completar son sencillos.

Para terminar. Ahora trabaje con toda la información que le damos en los cuadros.
Los alumnos los leerán individualmente.
Surgirán preguntas de vocabulario, escríbalas todas en la pizarra. Los alumnos resolverán las dudas entre ellos en una puesta en común. Las dudas resueltas, bórrelas; las no resueltas, pida a sus alumnos que las escriban en una hoja de papel.

Seguramente quedarán por resolver términos como "Muface" o "Franquicia" o "Sanitas renta"…
Por parejas, vayan a la dirección de Internet www.sanitas.es y busquen información sobre esos términos.
Háganlo primero en español, hasta que usted vea que se agota la información.
Realice una puesta en común para conocer a qué resultado han llegado y cuáles son las dudas que se mantienen.
Para solucionarlas definitivamente, permítales usar la página de Sanitas en inglés durante 5 minutos.
Vuelvan a hacer una puesta en común para ver cuántas dudas se han aclarado.
Para obtener una respuesta a las preguntas que aún tengan, le proponemos que envíe un correo electrónico a Sanitas: redáctenlo todos juntos en la pizarra y envíelo sólo usted. Reporte a sus alumnos la información que le envíe Sanitas imprimiendo el correo electrónico de respuesta.

10. Diferencias culturales

Argumentar sobre algunos puntos controvertidos de la economía.

10.1. Tras una primera lectura, hagan otra en voz alta para trabajar la pronunciación. Pare cada vez que se produzca un error y pregunte a toda la clase "¿Os gusta la palabra XXXX?", repitan esa palabras varias veces todos juntos. Pueden apoyar esta práctica buscando frases con esas palabras o inventando entonaciones exageradas (dependiendo del carácter del grupo).

Para trabajar el vocabulario de esta actividad, pídales que subrayen las siguientes palabras y expresiones en el texto: *microcrédito, consejo de administración, vaivén, deuda externa, globalización, bancarrota, comercio justo.*
¿Pueden deducir y explicar lo que significan? En la transparencia 13 encontrará las soluciones para ponerlas en común junto con las direcciones *web* donde pueden encontrar más información. Realicen entre todos el ejercicio de relaciona que se propone (las soluciones son: Microcrédito-B; Consejo de administración-D; Vaivén-A; Deuda externa-E; Globalización-C; Bancarrota-G; Comercio justo-F).

Los alumnos podrán ahora completar la segunda columna por escrito, ayúdeles con la ortografía.

TRANSPARENCIA 13: ¡Viva la feria!

11. Lectura

Comprensión lectora.
Toma de contacto con el concepto de las ferias.

11.1. La transparencia 14 le ayudará a contextualizar la lectura. Los alumnos deberán completar el diagrama siguiendo una de las siguientes dinámicas:

Dinámica A: Puede entregar este diagrama a sus alumnos en la sesión anterior para que lo realicen individualmente como deberes y cuando empiece esta actividad hagan una puesta en común.
Dinámica B: Los alumnos completan el diagrama en grupos al empezar la sesión y se corrige a continuación.

11.2. Haga la lectura del texto escuchando al mismo tiempo la audición número 51 (*Libro de ejercicios*, ejercicio 8, pág. 49).

Si fuera necesario, deje que sus alumnos vuelvan a escuchar y leer.
En grupo, compartan las dudas y preguntas sobre el vocabulario y la comprensión del texto.
Para finalizar. Después de comentar todos juntos la actividad 11.4., hagan el ejercicio 8 del *Libro de ejercicios* y corríjanlo todos juntos.

TRANSPARENCIA 14: ¡Viva la feria!

Tarea final

Informe económico para Intermón

- Estudiar en profundidad los datos económicos de una organización.
- Elaborar un informe económico por escrito.
- Hacer una presentación.

DINÁMICA DE AULA

En esta Tarea final usted deberá conducir a sus alumnos durante los primeros 40 minutos, para llegar con éxito al objetivo final: hacer una presentación.

Le aconsejamos que sus estudiantes se familiaricen con la institución Intermón, por lo que sería conveniente navegar por su página web durante 20 minutos. http://www.intermon.org/, anímeles a que accedan a todos los enlaces.

Ahora hagan una puesta en común sobre qué es Intermon, dónde tiene su sede, a qué se dedican...

1. Los alumnos harán una primera lectura individual, tomando notas de los conceptos que no conocen o sobre los que tienen dudas.

Al mismo tiempo usted escriba en la pizarra: "SOCIOS", "COLABORADOR", "INGRESOS FINANCIEROS", "ADMINISTRACIONES LOCALES Y AUTONÓMICAS", "APLICACIÓN DE RECURSOS".

Pídales que expliquen qué significan y complemente la información de sus alumnos y comenten las notas que ellos hayan tomado; clarifiquen todas las dudas.

Encontrará las soluciones para proyectarlas en la transparencia 15. Información sobre la Unión Europea consulte la página http://europa.eu.int/abc/index2_es.htm# y sobre la administración autonómica http://www.la-moncloa.es/

Sobre la Unión Europea, consulta la página http://europa.eu.int/abc/index2_es.htm#.
Sobre administraciones locales y autonómicas, consulte la página http://www.la-moncloa-es/.

Los estudiantes organizarán las parejas, pero intente que los alumnos que han tenido contacto con ONG, sean los que elijan a la pareja; si nadie ha trabajado en ONG utilice el criterio "los alumnos *seniors* eligen". Recuerde que hay cuatro apartados y cada pareja debe trabajar sólo en un apartado.

Ayude directamente a cada pareja con la ortografía, la corrección del uso del indefinido, recuérdeles la estructura de los informes aprendida en la actividad 11, unidad 6.

2. Reúna a parejas de los distintos apartados para este paso (máximo 8 alumnos).

Para corregir los errores que puedan cometer durante las presentaciones: los alumnos tomarán notas de los errores que detecten de sus compañeros, los corregirán individualmente por escrito y los comentarán todos juntos. El máximo de errores comentado debe ser 10. Recoja las hojas para marcar usted las correcciones, devuélvaselas en la siguiente sesión.

No olvide recoger los informes escritos de cada pareja. Tras su corrección, tenga una pequeña reunión con ellos para indicarles comó podrían mejorar su expresión escrita.

LIBRO DE EJERCICIOS: Para consolidar, pueden realizar los ejercicios n.º 1, 6, 7 y 10.

TRANSPARENCIA 15:	Vocabulario tarea final 7.

HISPANOAMÉRICA

- Familiarizarse con la pronunciación mexicana.
- Diferencias de vocabulario entre México y España.
- Cultura de México.

1. Antes de escuchar la audición conviene que los alumnos hagan individualmente la lectura, comenten en grupos el vocabulario que no conocen. Ayúdeles con los términos más conflictivos.

Propóngales que intenten adivinar cuáles son las palabras que faltan en cada espacio, escriba en la pizarra las diferentes posibilidades que vayan diciendo. En el apartado *Claves* del *Libro de ejercicios*, encontrará la solución pero le adjuntamos otras posibilidades que pueden aparecer:

1 Señor/ director general de…/ nuestro amigo/ nuestro socio.	**6.** Producto interno bruto/ PIB/ producto interior bruto.
2. Planificación/ Organización/ presentación/ puesta en marcha…	**7.** Comente "Si fuera `los' o `el', ¿un masculino?, ¿tendríamos más opciones?". Los puestos de trabajo/ los trabajos remunerados/ del empleo.
3. Lanzar/ iniciar/ poner en marcha…	
4. Dirección/ gestión/ formación…	**8.** Medio/ como media.
5. Control/ funcionamiento.	**9.** La mejora/ el perfeccionamiento.

Escuchen la audición por primera vez, hágales reflexionar sobre la pronunciación.
Vuelvan a escucharla para completar los espacios, corrijan todos juntos.

2. Hagan esta actividad ayudados por las palabras que han sugerido anteriormente, insistiendo en que es en el contexto de la lectura, ¿cuál utilizarían en la península?

3. Hagan una puesta en común sobre lo que han aprendido de México con esta actividad.

APÉNDICE WWW

LA ACTUALIDAD ECONÓMICA DE MÉXICO, ARGENTINA Y ESPAÑA

Divida la clase en tres grupos y asigne a cada grupo un país y la dirección de Internet correspondiente:
- Argentina: http://www.infobae.com
- México: http://www.economista.com.mx
- España: http://www.expansion.com/

Los alumnos deben buscar información en el periódico y completar la ficha 35.
Anímeles a buscar datos adicionales en Internet, por ejemplo, sobre la empresa de la que habla la noticia o sobre el personaje. También deben contextualizar brevemente la noticia.

FICHA 35:	La actualidad económica de México, Argentina y España.

Respuestas test 7:
1. b; 2. a; 3. c; 4. a; 5. a; 6. b; 7. b; 8. c; 9. d; 10. c; 11. México; 12. mejoramiento; 13. Monterrey; 14. les; 15. anual; 16. embargo; 17. para; 18. Acordar; 19. póliza; 20. a.

TEST UNIDAD 7

Selecciona la opción correcta.

1. Las dos compañías .... una alianza el mes pasado.
- ☐ a. he firmado
- ☐ b. firmaron
- ☐ c. voy a firmar
- ☐ d. firmar

2. El año pasado, Telefónica .... varias pequeñas empresas regionales.
- ☐ a. compró
- ☐ b. compraste
- ☐ c. acaban de comprar
- ☐ d. comprando

3. Ayer, Inditex .... a bolsa.
- ☐ a. habéis salido
- ☐ b. saliendo
- ☐ c. salió
- ☐ d. salgo

4. La Cruz Roja tiene una .... de casi 12 000 personas.
- ☐ a. plantilla
- ☐ b. planta
- ☐ c. plan
- ☐ d. equipo

5. Su mutua .... paga las bajas sólo a ella, ¡no a su familia!
- ☐ a. le
- ☐ b. ellas
- ☐ c. los
- ☐ d. las

6. Hace 3 años .... en marcha una empresa familiar. Estoy muy orgulloso aunque fue mucho esfuerzo.
- ☐ a. habíamos puesto
- ☐ b. puse
- ☐ c. poner
- ☐ d. puesto

7. María no ha venido a trabajar, ...
baja.
- ☐ a. estamos por
- ☐ b. está de
- ☐ c. esta en
- ☐ d. estar para

8. ► ¿Qué tal fue la entrevista?
▷ Muy bien. ..... primer .... hablamos de la organización de la feria, fue muy interesante.
- ☐ a. En-además
- ☐ b. Para-terminar
- ☐ c. En-lugar
- ☐ d. Para-siempre

9. ► ¿Nos entiende, o hablamos más despacio?
▷ Sí, sí, ... entiendo perfectamente. Sigan, por favor.
- ☐ a. al
- ☐ b. la
- ☐ c. los
- ☐ d. les

10. ¿Cuánto tiempo hace que (tú) .... a tener estos síntomas?
- ☐ a. empecé
- ☐ b. empiezo
- ☐ c. empezaste
- ☐ d. empezamos

Completa.

11. El Ángel es el símbolo de la ciudad de ....

12. En México si mejoras una idea, plan, inversión, etc., es un ....

13. La capital industrial de México es ....

14. Cuando nos llaman nuevos clientes para hacerse un seguro de enfermedad, siempre .... ofrecemos un seguro para su coche.

15. ¿Cómo prefiere el pago: ...., semestral, trimestral o mensual?

16. El año pasado perdimos un 3% de nuestra cuota de mercado, sin .... este año ya hemos recuperado el 2%.

17. (Hablando por teléfono con el jefe))
► Llamo .... comunicarte que me voy al médico ahora mismo. Tengo bastante fiebre y me encuentro fatal...
▷ ¡Oh! Lo siento, que te mejores.

18. Aumento—Aumentar
Acuerdo—..........................

19. Tengo una .... de seguros de Asistencia Familiar.

20. Estuvimos en Madrid .... finales de este trimestre, fuimos a Expo-Ocio.

COMENTARIOS:

PUNTUACIÓN:

/20

Unidad 8

1. Las primeras salidas profesionales

- Vocabulario sobre anuncios de trabajo.
- El currículo.
- Práctica del pretérito indefinido.

1.1. Para contextualizar la actividad, puede llevar a la clase el apartado de "Clasificados" de los periódicos y revistas especializadas... (un periódico cada dos alumnos). No importa si son de días anteriores.

- Si usted está en España, deje que lo observen durante cinco minutos. A continuación, hagan una tormenta de ideas sobre "Anuncios de trabajo: he observado que...", escriba en la pizarra lo que le digan sus alumnos.
- Si usted trabaja fuera de España, y no tiene posibilidad de acceder a periódicos españoles, use los del país donde se encuentre. Haga una tormenta de ideas sobre "¿Cómo son los clasificados en nuestro país?".

Analice el estilo –suele ser un estilo directo–; las partes –título, "se requiere" y "se ofrece"...; aspectos culturales –si se pide la foto en el currículo, si existen diferentes tipos de contratos, si se especifica la edad, si se suele poner o no el nombre de la compañía porque suelen ser empresas intermediarias de selección de personal... Escriban todos los comentarios en la pizarra.

Si usted realiza así la actividad, tras el punto 1.2. comparen los anuncios de España con los de su país, haga una puesta en común.

1.3. Cuando los alumnos hayan elaborado ya 10 preguntas. Entrégueles la ficha 36.

Para la ficha 36. Durante la puesta en común:
1. Anímeles a que emitan su opinión sobre las preguntas:
   Profesor: ¿Os gusta esta pregunta?, ¿por qué? ¿Qué se descubre de una persona cuando le preguntan...? ¿Es frecuente esta pregunta en vuestro país? ¿Cómo salir de una pregunta que no sabes contestar?
2. Escriba en una transparencia los errores que se vayan produciendo y corríjalos en cuanto acabe la puesta en común.

Entre todos elijan el anuncio que más les haya gustado de la actividad 1.1. Pida un voluntario, este se sentará enfrente de la clase. Dele la bienvenida explicándole que es un candidato a ese puesto y que está frente al departamento de recursos humanos de la compañía XXX.
Pida al resto de la clase que empiece con la entrevista.
Mientras ésta se produce, usted escriba en la pizarra los errores. Tras la entrevista, despida al candidato anunciándole que ya le llamarán para la siguiente rueda de entrevistas.
Pasen a comentar los errores escritos en la pizarra, deje que los alumnos le den las soluciones.

1.4. En esta actividad, pida a sus estudiantes que todos escriban el currículo, no sólo un integrante en representación de todo el equipo. Lean con mucha atención los *Fíjese*.

Tras haberlo escrito, se reúnen con un compañero que no sea de su equipo, se intercambian los currículos y los leen individualmente. A continuación le expresará su opinión; deben trabajar errores gramaticales pero también formales (coherencia en el uso verbal: todo en infinitivo o todo en pasado; coherencia en el orden de las fechas: de la más reciente a la más antigua o viceversa; demasiado extenso o demasiado corto; inclusión de información no relevante...).
Ahora trabajen con la ficha 37. Le adjuntamos posibles respuestas.

- ¿En qué se diferencia con el modelo de currículo propuesto en la actividad 1.3.?
  El orden de los apartados, la posición de las fechas, la ausencia de descripción de las tareas realizadas, valoración de los idiomas.

- ¿Cómo mejorarlo?
  Añadir dirección y teléfono; añadir las fechas en el trabajo de becario, poner las fechas a la izquierda, describir los puestos; reducir o mejorar el formato de la enumeración de los programas conocidos; añadir la lengua materna; la valoración de los idiomas.
  Comentar la inclusión de la foto: en España es frecuente hacerlo; algunas empresas lo especifican en sus anuncios, probablemente los estudiantes expresen su desagrado a hacerlo porque podría ser un motivo de discriminación.

LIBRO DE EJERCICIOS: para consolidar, pueden realizar el ejercicio n.º 6.

FICHA 36:	La entrevista profesional.

FICHA 37:	El currículo.

2. Toma de contacto: al teléfono

- El teléfono: pedir cita, cambiar una cita, preguntar por un proceso de selección.

Para contextualizar la actividad y revisar las expresiones relacionadas con el uso del teléfono, dibuje un gran teléfono en la pizarra. Los alumnos deben hacer una tormenta de ideas con las expresiones que les sugiere el teléfono. Escríbalas en la pizarra alrededor del gran teléfono y complemente la información con aquellas que no digan sus alumnos.

Lleve a la clase dos teléfonos (móviles, teléfonos de juguete, etc.). Dé a dos alumnos, por turnos, los aparatos, marque una de las expresiones escritas y pídales que hagan una breve simulación utilizándola. Repítalo hasta que queden señaladas todas las expresiones. No borre esta información, sus alumnos la necesitarán para realizar la actividad 2.3.

2.2. Hagan la lectura en voz alta simulando la conversación, escriba en la pizarra las palabras que ofrezcan dificultad de pronunciación y aclare las dificultades de vocabulario. Tras cada conversación, lea una palabra y después sus alumnos deben repetirla focalizándose en la correcta pronunciación. Ahora, entre todos, elaboren una frase con esa palabra para crear un contexto fonético y lean la frase, primero usted como modelo y después sus alumnos.

Repetir el mismo método con las cuatro conversaciones; pasen a realizar las anotaciones de las expresiones en los cuadros correspondientes. Corregirán las anotaciones en parejas: compararán y discutirán su ejercicio. Las dudas y diferencias que puedan surgir le recomendamos que las comente en una puesta en común.

2.3. Recuérdeles que también deben utilizar las expresiones escritas en la pizarra.

2.4. Vuelva a utilizar los teléfonos que ha llevado a la clase.

Para terminar. De las expresiones que hay en la pizarra para contextualizar la actividad, pida a los estudiantes que completen una tabla con dos columnas. En la columna A escribirán todas las expresiones de la pizarra y en la columna B para qué sirven. Si lo cree pertinente, pueden rellenar una tabla por cada una de las conversaciones que han tenido lugar.

Comenten después de cada conversación telefónica las tablas completadas por el resto de la clase.

LIBRO DE EJERCICIOS: para consolidar, pueden realizar los ejercicios n.º 3 y 7.

3. En la entrevista de trabajo

- Pretérito imperfecto y el contraste con el pretérito indefinido.
- Hablar y describir situaciones del pasado.
- Presentación de una entrevista de trabajo.

3.1. Le sugerimos que, antes de escuchar la audición, lean por turnos y en voz alta toda la clase las 10 frases del recuadro. Insista en la pronunciación y aclaren las dudas de vocabulario todos juntos.

3.2. Corrija en pequeños grupos esta actividad, pase por los grupos para clarificar dudas.

Para mayor información del pretérito imperfecto acuda al *Apéndice gramatical*, págs. 184 y 185.

Para terminar. Fuego graneado
Con la intención de consolidar el pretérito imperfecto de indicativo, haga la actividad de Fuego graneado utilizando los verbos aparecidos hasta el momento en esta unidad.

Le sugerimos:

1.º En parejas, asígneles una parte de la pizarra o una hoja grande que pondrá en la pared a cada pareja. Deles 2 minutos (si tiene un reloj de arena utilícelo para que todos vean el tiempo que les queda); deben hacer una lista de verbos en infinitivo de la unidad. Gana la pareja que escriba más infinitivos. Revisen el significado para asegurarse que todos recuerdan esos verbos.

2.º Se ponen todos de pie, usted dice un infinitivo de los escritos en las listas y un pronombre personal y los alumnos deben conjugarlo correctamente en pretérito imperfecto de indicativo. El que se equivoque, pasa a ocupar la última posición. Recomendamos hacer esta actividad en grupos de cómo máximo doce alumnos.

LIBRO DE EJERCICIOS: para consolidar el pretérito imperfecto pueden realizar el ejercicio n.º 2.

4. La vida profesional de mis compañeros

- La entrevista profesional.
- Práctica de los pasados de indicativo.

Para terminar.
En las actividades 3 y 4 han trabajado las entrevistas profesionales desde una perspectiva lingüística. Para cerrar este apartado le proponemos trabajar en clase aspectos socioculturales de las entrevistas. Utilice la ficha 38.

LIBRO DE EJERCICIOS: para consolidar hagan el ejercicio n° 9.

> **FICHA 38:** En una primera entrevista.

5. Crecer profesionalmente: un cambio de empresa

- *Deber* + infinitivo.
- Expresar obligación.
- Organizar el discurso y expresar opinión.

5.1. Lean en voz alta, por turnos, las afirmaciones. Insista en una correcta pronunciación, parando la lectura cada vez que se produzca un error.

Ahora trabajen el vocabulario. Le sugerimos que entregue una fotocopia de la ficha 19 de la unidad 4. Primero individualmente, los alumnos completarán la columna "Palabra nueva"; a continuación, en pequeños grupos, se ayudarán explicando las palabras en español, por último recurrirán al diccionario y completarán la columna "Traducción a mi idioma…".
Para mayor información de la perífrasis verbal **deber + infinitivo** acuda al *Apéndice gramatical*, pág. 187.

5.3. Antes de escuchar la audición, proyecte la transparencia 16 para preparar el vocabulario y centrar la actividad. Lean las palabras. Dé a sus alumnos unos minutos para reflexionar individualmente sobre ellas. En un primer momento, no les deje usar el diccionario, después déjeles 5 minutos para hacerlo. Asegúrese que todos ya conocen esas palabras.

Durante 5 minutos deben construir mentalmente frases con esas palabras.

Lleve una pelota a clase, pásela a un alumno y diga al mismo tiempo una palabra, el alumno debe decir la frase que ha construido mentalmente con esa palabra. Comenten los errores, posible dobles significados… Ahora realicen la audición dos veces: la primera vez solamente escuchen, durante la segunda los alumnos tomarán notas.

5.4. Corrijan en grupos de 6 (tres parejas diferentes) la actividad. Ahora vuelvan a escuchar la entrevista para concluir el trabajo.

LIBRO DE EJERCICIOS: para consolidar, pueden realizar los ejercicios n.° 4 y 5.

> **Transparencia 16:** Palabras, palabras, palabras.

6. Un reto diferente: la empresa propia

- Práctica de los pasados de indicativo a través de una empresa española.
- Organizar el discurso, referirse a una parte del discurso, presentar conclusiones y expresar opinión.

Para contextualizar la actividad: naveguen por la www http://www.coroneltapiocca.com/; introduzca el nombre de Coronel Tapiocca en algún buscador en español y entren en las diferentes páginas que encuentren. Deles 20 minutos para la búsqueda de información: desde la perspectiva de los negocios, tienen que escribir los datos importantes sobre esta compañía. Corrija la puesta en común tomando notas de los errores (10 máximo). Preséntelos en la siguiente sesión en formato de fotocopia para cada alumno y haga que ellos descubran y corrijan el error. Comentarán el ejercicio todos juntos una vez finalizado.

6.1. Previamente a realizar el apartado de relacionar las respuestas con las preguntas: escriba en una parte de la pizarra las siguientes expresiones del texto:

> *Llegar (...) la oportunidad de mi vida.*
> *Merecer la pena...*
> *Crecer el desinterés por...*
> *Hablar por si solo...*
> *Apostar por...*
> *La mayor parte del tiempo...*

Después de que sus alumnos hagan la lectura, pídales que cada uno escriba una palabra nueva en la pizarra.
No pueden repetirse términos. Entre todos clarifiquen el significado. Ahora reclame su atención hacia la lista que usted ha escrito y pregúnteles: *"¿Cómo podríamos decir lo mismo con otras palabras?"*, escriba otras posibilidades junto a cada grupo léxico.
Pasen ahora a realizar el apartado de relacionar.
Las actividades 6.3. y 6.4. corríjalas en puesta en común, anime a los alumnos a añadir más expresiones en cada uno de los grupos.

6.5. Haga una corrección individualizada del texto escrito mientras sus alumnos lo van elaborando.

La exposición oral de la actividad 6.5. hágala en grupos de 5. Para la corrección utilice "post-it": se pasea por los grupos y anota el error en el "post-it" y lo engancha en la carpeta, brazo, etc. del alumno que ha cometido el error. Al finalizar todas las presentaciones, cada alumno lee sus "pos-it" y entre todos se corrigen.

7. Con nombre propio

- Práctica de los pasados de indicativo a través de una empresa española.

En esta actividad los alumnos van a enfrentarse a mucho vocabulario. Anúncieles en la sesión que ahora van a necesitar los diccionarios. Recuerde llevar usted alguno para que todos y cada uno de sus alumnos tenga uno.

Utilice la ficha 39 durante toda la actividad.

7.1. Individualmente, los alumnos realizarán la actividad y completarán la tabla del vocabulario 7.1. de la ficha 7. Corrijan todos juntos el ejercicio, insista en la correcta pronunciación.

7.2. Sus alumnos realizarán una lectura individual y completarán la tabla de vocabulario de la ficha 39 de este apartado 7.2. A continuación, todos de pie y junto a la pared, trabajen la pronunciación y entonación de forma similar a la actividad 8 de la unidad 6, es decir, los alumnos se ponen cerca de la pared y cara a ella, usted hace en voz alta la lectura, ellos deben imitar la entonación y ritmo del modelo que escuchan para practicar la entonación. Repita la lectura una segunda vez, los alumnos mejorarán mucho y se sentirán más motivados.

7.4. Mientras los estudiantes empiezan a escribir sus artículos, usted apunte en la pizarra las expresiones para ordenar el discurso que han aprendido. Cuando vea que ellos ya han elaborado unas 10 líneas, interrúmpales y pídales que trasladen su atención a la pizarra, pregúnteles *"¿Para qué sirven estas expresiones?"*, *"¿cuántas habéis usado ya en vuestro texto?"*. Insista en que las incluyan.

Corrija los artículos de sus estudiantes al finalizar la clase pero seleccione uno de ellos (es recomendable seleccionar el de un estudiante medio) y haga fotocopias de su trabajo (pídale previamente permiso explicándole qué van a hacer con él). En la siguiente sesión entregue este trabajo a toda la clase y, por parejas, durante 10 minutos lo corregirán y mejorarán el escrito todos juntos.

Para terminar.

Cada alumno escribirá en dos pequeños fragmentos de papel dos palabras aprendidas incluidas en la ficha 39. Los doblarán y meterán en una bolsa.

Siente a un voluntario de espaldas a la pizarra, mirando a sus compañeros. Una mano inocente extraerá un papel, usted escribirá la palabra en la pizarra y los alumnos deberán explicar su significado sin decir de qué palabra se trata; pueden utilizar también la cacofonía, sinónimos, en qué contexto apareció esa palabra… El voluntario deberá descubrir de qué palabra se trata.

FICHA 39: Con nombre propio.

---

9. Escribe

- La carta de presentación.

Antes de empezar, haga una lluvia de ideas sobre "Cómo debe ser una carta de presentación". Deje que los alumnos expresen sus ideas sobre el tema. A modo de conclusión, escriba en la pizarra cinco ideas aportadas; estas quizás sean alguna de las ideas que aparecerán: la carta no debe ocupar solo una página, podría estar escrita a mano, se debe cuidar la calidad del papel, las frases deben ser cortas…

Si necesita más información sobre este tema puede visitar las páginas:
http://contenido.monster.es/estrategias/cv_y_cartas/carta_promo/ o
http://www.trabajos.com/informacion/index.phtml?n=4&s=1

En el modelo de la actividad sólo se presenta el cuerpo de la carta, recuérdeles que deben incluir sus datos personales, firma, fecha, etc. Encontrará más modelos en:
http://www.trabajos.com/informacion/index.phtml?n = 4&s = 2

Mientras sus alumnos escriben la carta, detecte los problemas de ortografía que van teniendo, apúntelos correctamente en la pizarra. Cuando ya terminen el trabajo escrito, todos juntos observarán la pizarra y corregirán sus cartas.

A continuación, intercambiarán su trabajo con uno de sus compañeros. Leerán lo escrito por su colega y comentarán cómo mejorar; en caso de duda preguntarán al profesor.

10. Diferencias culturales

10.2. Para la corrección le proponemos un concurso.

Escriba todos los nombres de sus alumnos en la pizarra. Lleve al aula una campana o una pequeña trompeta. Cuando un alumno haga un error, hágala sonar, el primer alumno que corrija correctamente el error recibe un punto que usted apuntará junto al nombre. Al finalizar la puesta en común, contabilizarán los puntos.

10.4. Hagan primero individualmente la lectura. A continuación, los alumnos la harán en parejas en voz alta, ayudando a su compañero en la correcta pronunciación y en el vocabulario que no entienda.

Tras realizar la corrección, utilice esta lectura para hacer un ejercicio de ampliación de vocabulario.
Pida a sus alumnos que subrayen las siguientes palabras del texto:

Distintos – Normativa – Forman – Plena – Contadas - Festivos

Ahora, en parejas, deben pensar en sinónimos. Hagan una puesta en común utilizando la pizarra para escribir todas las posibilidades que aparezcan.

11. Lectura

- Comprensión lectora.
- Toma de contacto con estrategias de marketing.

11.1. Realice esta actividad en forma de tormenta de ideas y apuntando en la pizarra lo que aporten sus alumnos.

Para terminar. En la ficha 40 le proponemos un análisis sobre la percepción de los estudiantes de los supermercados.

| **FICHA 40:** Estrategias para vender más. |

LIBRO DE EJERCICIOS: para finalizar, realicen los ejercicios n.º 1, 8 y 10.

Tarea final

Encuentro de directivos de una multinacional

Elaborar una entrevista a un conocido hombre/ mujer de negocios del mundo hispano, para lo cual deberán elegir al personaje, decidir qué orientación quieren que tome la entrevista, elaborar las preguntas, determinar cómo quieren presentarlo a la clase, etc.

DINÁMICA DE AULA

La actividad 1 realícela a modo de tormenta de ideas. Usted escriba el nombre y empresa, anímeles a que aporten algún dato más.

Si prevé que sus alumnos no conocerán personajes del mundo de los negocios hispanos, busque fotos en la prensa especializada o Internet, recórtelas o imprímalas y póngalas en las paredes de la clase antes de empezar la tarea final. Quizás les inspire, en caso contrario explique quiénes son y a qué se dedican.

A partir de este momento ellos deben organizar sus grupos, leer atentamente los pasos de la tarea y empezar siguiendo las instrucciones. Le aconsejamos que usted sólo vigile el tiempo, intente que todos los grupos lleven el mismo ritmo de trabajo, ayude a los más lentos para que todos lleguen por un igual al momento de las presentaciones.

En la instrucción 4 se pide que utilicen los marcadores y las partículas relacionadas con el discurso, probablemente les resulte difícil. Para incentivar su uso entregue a cada equipo, cuando ya estén elaborando la entrevista, la ficha 41 en formato de fichas, y explíqueles que deben usarlas.

Si usted tiene acceso a una cámara de vídeo, le sugerimos grabar a sus alumnos en las presentaciones de la instrucción 5. Esta es la última tarea final de este nivel de *En equipo.es*, el nivel lingüístico adquirido, la consolidación del grupo y la confianza entre ustedes permiten grabar este trabajo en vídeo. Será también una motivadora forma de autocorrección para sus estudiantes. Pero no olvide pedirles su consentimiento para hacerlo.

> **FICHA 41:** Marcadores y partículas relacionadas con el discurso.

HISPANOAMÉRICA

- Datos económicos de Argentina y México: vocabulario de macroeconomía y práctica de números.
- Anuncios de trabajo y entrevistas.
- Reconocimiento de diferentes acentos.

1. Antes de trabajar para obtener la información numérica, agrupe en grupos de 4 a los alumnos A y B por separado. Con esta disposición, trabajen el vocabulario utilizando los diccionarios y las páginas WWW (de la bolsa de Valencia, diccionarios *on-line*... ya usadas en la unidad 7).

2. Redescubra junto a sus alumnos las variantes argentinas que se encuentran en el anuncio: porteño, manejo, computación y remuneración pretendida (ver *Claves* pág. 77). Hágalo a modo de concurso: *"En un minuto descubre el máximo número de características argentinas en este anuncio".*

3. Reflexionen sobre las pistas para llegar a descubrir el origen de los tres candidatos.

Candidato A: Argentina. El acento y la pronunciación; "Radicarse en el exterior" (en España: viajar o establecerse en...); lee *La Nación*; "estilo de gerenciamiento" (en España: gestión, dirección).
Candidato B: México. El acento y la pronunciación; habla del sistema financiero mexicano.
Candidato C: España. El acento y la pronunciación; la utilización del pretérito perfecto "he estado...".

APÉNDICE WWW

LA MODA

Objetivo: profundizar y comparar en el modelo de negocio de cuatro empresas españolas del mismo sector.

Dinámica:
Los alumnos ya han trabajado aspectos de empresas del sector textil español durante esta unidad. Ahora trataremos de conocerlo un poco más.
Forme parejas con las cuatro direcciones www siguientes:

    www.cortefiel.com
    www.zara.es
    www.coroneltapiocca.com
    www.adolfo-dominguez.com

Deben navegar por las cuatro páginas y recoger información durante aproximadamente 25 minutos –público objetivo, estrategias de marketing, historia, mensaje que transmite, filosofía de empresa...–. Pídales que elaboren una presentación titulada "4 empresas, 4 estilos" (tiempo para la preparación 20 minutos); la presentación no debe superar los 10 minutos, tienen que hablar los dos miembros de la pareja.

Tome nota de los errores en una transparencia y, al finalizar todas las presentaciones, proyéctela y comenten dónde está el error y cómo mejorarlo.

FICHA 42: La moda.

Respuestas test 8:
1. b; 2. a; 3. c; 4. d; 5. a; 6. b; 7. d; 8. a; 9. a; 10. a; 11. Argentina-México; 12. Llamaba para; 13. Cuántos; 14. música-venta; 15. a; 16. dar; 17. currículum; 18. Decidir; 19. para; 20. otro-saludo.

TEST UNIDAD 8

Selecciona la opción correcta.

1. Se requiere: *..................... de 25 a 35 años.

   *..................... inmediata.
   - [ ] a. años-incorporación
   - [ ] b. edad-incorporación
   - [ ] c. era-trabajar
   - [ ] d. década-trabajo

2. ¿Cuánto tiempo estuvo en el .... de jefe de proyectos?
   - [ ] a. cargo
   - [ ] b. candidato
   - [ ] c. perfil
   - [ ] d. retribución

3. ► ¿De qué se ....?

   ▷ Era la coordinadora del departamento de publicaciones.
   - [ ] a. encargabais
   - [ ] b. encargar
   - [ ] c. encargaba
   - [ ] d. encargabamos

4. ¿Cuáles .... sus funciones?
   - [ ] a. eras
   - [ ] b. eramos
   - [ ] c. ser
   - [ ] d. eran

5. Dentro del departamento de marketing, mi equipo .... las estrategias de lanzamiento de nuevos productos.
   - [ ] a. diseñaba
   - [ ] b. diseñé
   - [ ] c. vas a diseñar
   - [ ] d. habíais diseñado

6. Lo .... es tener un buen producto.
   - [ ] a. pues
   - [ ] b. fundamental
   - [ ] c. para finalizar
   - [ ] d. en primer lugar

7. Estimado Sr. Plaza:
   Me .... a usted con motivo…
   - [ ] a. pongo
   - [ ] b. escribimos
   - [ ] c. intereso
   - [ ] d. dirijo

8. Estoy muy interesado .... integrarme en una ONG. Ha sido mi objetivo durante toda mi carrera profesional.
   - [ ] a. en
   - [ ] b. para
   - [ ] c. con
   - [ ] d. a

9. Normalmente, los domingos y .... las tiendas están cerradas en España.
   - [ ] a. festivos
   - [ ] b. ferias
   - [ ] c. vísperas
   - [ ] d. días laborables

10. Durante dos años, también (yo) .... el grupo de comunicación.
    - [ ] a. dirigí
    - [ ] b. dirigías
    - [ ] c. acabas de dirigir
    - [ ] d. dirigir

Completa.

11. La maquinaria es el principal producto de las economías de ambos países hispanoamericanos, tanto de .... como de ....

12. ► Diseño web, ¿dígame?

    ▷ Hola, buenos días. .... informarme del proceso de selección de "oficial administrativo"…

13. ¿.............. idiomas hablas?

14. En un supermercado, la .... identifica el país y el producto. Así, la .... de vinos franceses aumenta cuando suenan canciones de este país.

15. ¿Qué opinas respecto .... los nuevos horarios comerciales?

16. Yo creo que un jefe siempre debe .... ejemplo con su comportamiento.

17. En su .... *vítae* leo que fue jefa de contabilidad en Asociados Legales.

18. Supervisión—Supervisar
    Decisión—.........................

19. Llamo .... informarme del proceso de selección.

20. (Para finalizar una carta de presentación)
    Sin .... particular, reciba un cordial
    ....

COMENTARIOS:

PUNTUACIÓN:

/20

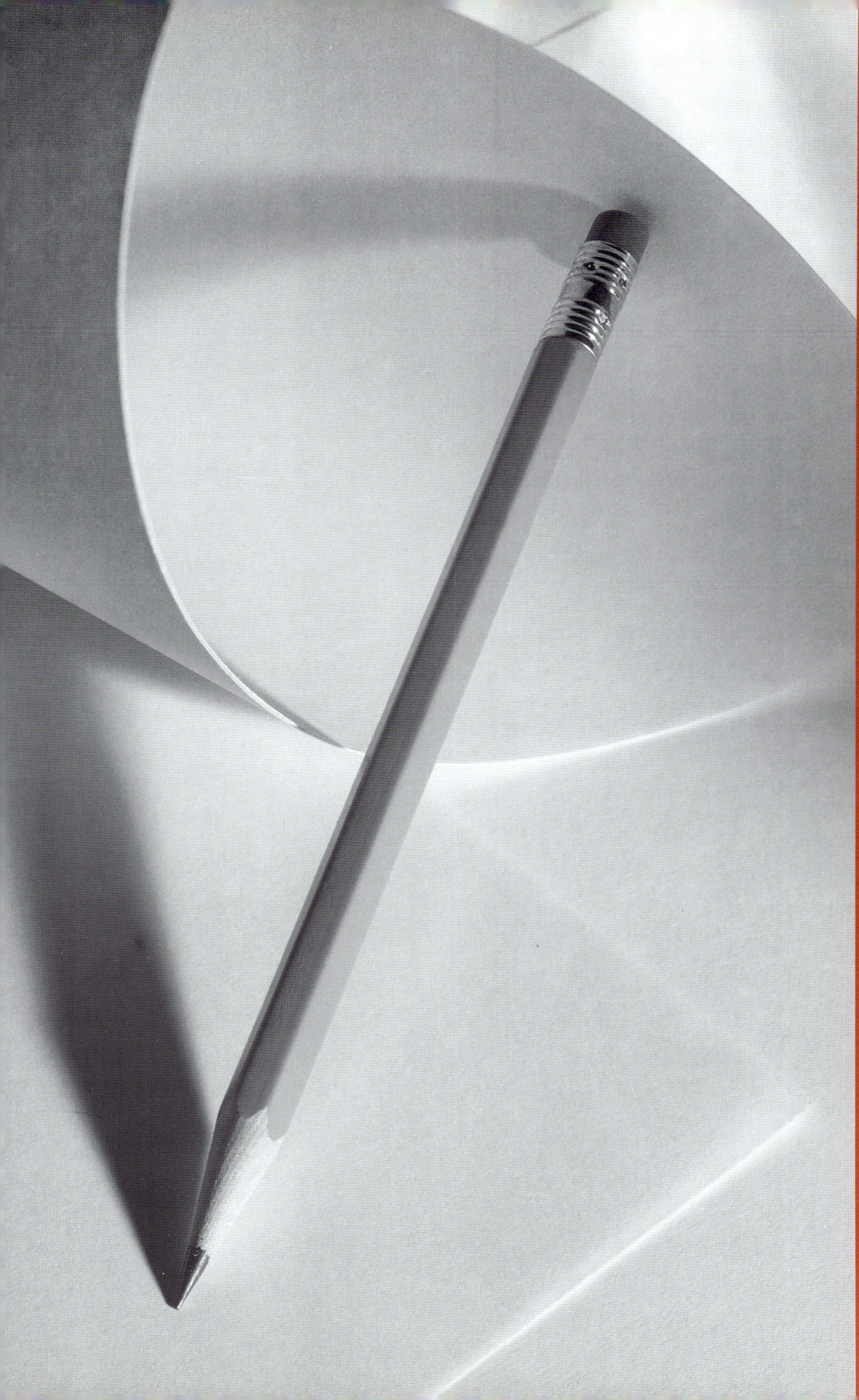

Fichas fotocopiables

FICHA 1

	Hablante 1	Hablante 2
Saludar		
Presentar a alguien		
Presentarse		
Hablar de la ciudad de origen		
Hablar de la profesión		

FICHA 2

Compañero	Ciudades de llamada	Código de teléfono
Nika	Dublín-Madrid	0034 91

FICHA 3

Nombre: [ ] Apellidos: [ ]

[ ]

Nacionalidad: [ ]

Soltero: [ ] Casado: [ ]

Ciudad de origen: [ ]

Teléfono: [ ]

Profesión: [ ]

Empresa: [ ]

FOTO

FICHA 4

De viaje por España

Visita las siguientes direcciones de Internet y busca el paisaje que más te guste de la costa, del interior y de una isla.

Tus compañeros van a seleccionar también sus fotos de paisajes, cuyos lugares tendrás que ubicar en el mapa de España (¡así que fíjate bien para que te suenen todas las provincias españolas!).

- http://www.tourspain.es
- http://www.ciudadhoy.com
- http://cvc.cervantes.es/actcult/paisajes/

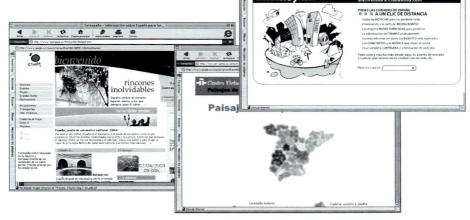

La ciudad que más me gusta...

• de la costa es	• la dirección es http://	
• del interior es	• la dirección es http://	
• de las islas es	• la dirección es http://	

Ciudades seleccionadas por mis compañeros:

De la costa	Del interior	De las islas

FICHA 5

Tarjetas de bingo

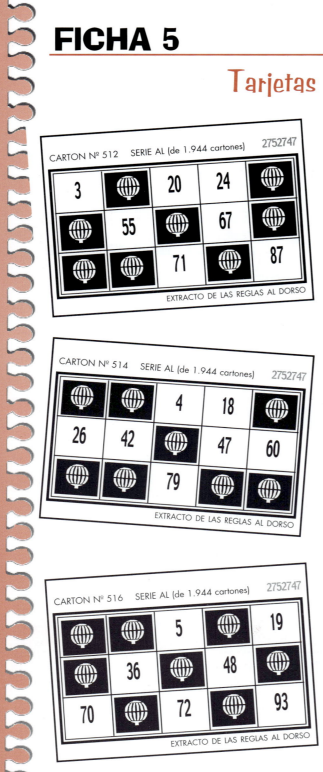

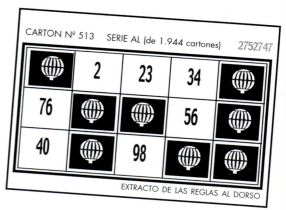

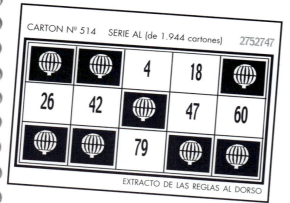

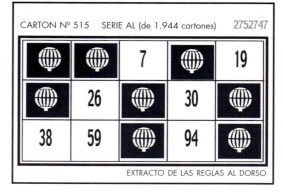

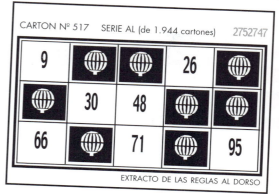

FICHA 6

Tarjetas de bingo para rellenar

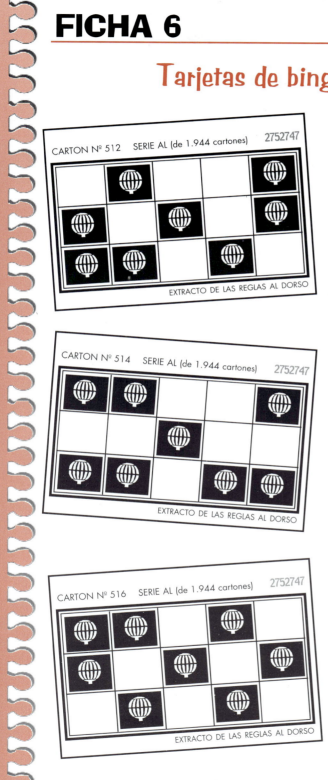

CARTON Nº 512   SERIE AL (de 1.944 cartones)   2752747

EXTRACTO DE LAS REGLAS AL DORSO

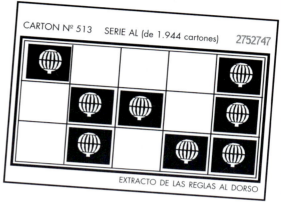

CARTON Nº 513   SERIE AL (de 1.944 cartones)   2752747

EXTRACTO DE LAS REGLAS AL DORSO

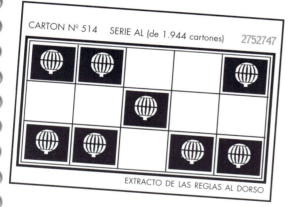

CARTON Nº 514   SERIE AL (de 1.944 cartones)   2752747

EXTRACTO DE LAS REGLAS AL DORSO

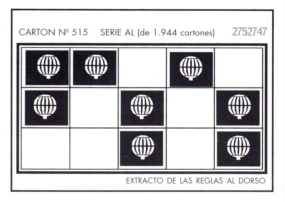

CARTON Nº 515   SERIE AL (de 1.944 cartones)   2752747

EXTRACTO DE LAS REGLAS AL DORSO

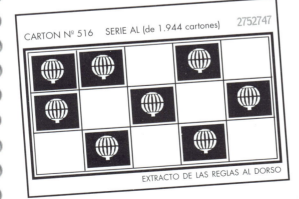

CARTON Nº 516   SERIE AL (de 1.944 cartones)   2752747

EXTRACTO DE LAS REGLAS AL DORSO

CARTON Nº 517   SERIE AL (de 1.944 cartones)   2752747

EXTRACTO DE LAS REGLAS AL DORSO

FICHA 7

Muestras de cartas

Fíjate en las siguientes muestras de cartas con el encabezamiento, la presentación del objetivo de la carta y el saludo.

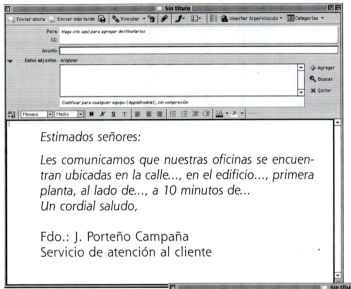

Estimados señores:

Les comunicamos que nuestras oficinas se encuentran ubicadas en la calle..., en el edificio..., primera planta, al lado de..., a 10 minutos de...
Un cordial saludo,

Fdo.: J. Porteño Campaña
Servicio de atención al cliente

Estimados señores:

Necesitamos el siguiente material de oficina:
  –30 archivadores
  –20 cajas de clips
  …
Un cordial saludo,

Fdo.: Amparo Campanario Merino
Servicio de proveedores y clientes

FICHA 8

Hispanoamérica de norte a sur, y de este a oeste

Escoge uno de los siguientes buscadores que te ofrecen información en español.

- http://www.google.es
- http://es.yahoo.com/
- http://www.lycos.es

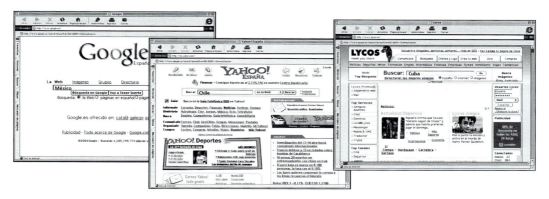

Escribe en su ventanilla de búsqueda cada uno de los nombres de los países de Hispanoamérica.

Dirígete a la sección de turismo o viajes para seleccionar un paisaje del norte del continente, del sur, del centro, del este y del oeste. Tienen que ser fotografías muy diferentes y justificar por qué las escoges.

Vas a encontrar direcciones como:
http://www.chile.com **Chile**
http://www.sectur.gov.ar **Secretaría de turismo de Argentina**
http://www.mexicocity.com.mx **México**
http://www.cuba.cu **Cuba**
http://www.peru.org.pe **Comisión de Promoción de Perú**

Los paisajes que más me gustan de Hispanoamérica son:

- del norte [   ] • la dirección es http:// [   ]
- del sur   [   ] • la dirección es http:// [   ]
- del este [   ] • la dirección es http:// [   ]
- del oeste [   ] • la dirección es http:// [   ]

FICHA 9

Verbos en presente de indicativo

Presente de indicativo	Yo	Tú	Él/Ella/Usted	Nosotros	Vosotros	Ellos/Ellas/Ustedes
REVISAR						
COMER						
INTERRUMPIR						
ORGANIZAR						
LEER						
ESCRIBIR						
TRABAJAR						
CONTROLAR						
HABLAR						
VIVIR						
ESCUCHAR						
PREPARAR						
PARTICIPAR						

FICHA 10

Un día en la vida de...

FICHA 11

Mi ficha profesional

Nombre de la empresa: _____

Dedicada a: _____

Departamento de: _____

Número de personas: _____

Descripción de mi puesto: _____

Mi perfil: _____

Valor que aporto al puesto: _____

Salario: _____

FICHA 12

¿Cómo se dice en...?

En Argentina dicen...	En España dicen...	En mi país...	En otros países...

FICHA 13

Mapa por autonomías y actividades económicas

En grupos de 3, tenéis que buscar información sobre empresas españolas:
- cómo se llaman,
- dónde están,
- qué están haciendo actualmente...

El objetivo final será crear un mapa por autonomías de España con las actividades económicas que hayáis encontrado.

Aquí tenéis algunas páginas de interés para realizar la actividad. Tened muy claro vuestro objetivo y la información que hay que buscar; de esta forma evitaréis perderos entre toda la información que se ofrece.

Portal de la Administración Comercial Española:
http://portal.icex.es/

Administraciones Autonómicas:
http://www.admiweb.org/organismos/AA/

Nombre	http://www...	Situada en	Se dedica a...	Otros datos

FICHA 14

Busca a tu pareja

Relaciona los relojes con sus horas correspondientes.

Son las once menos diez a.	**Son las cinco y veinte** b.	**Son las dos en punto** c.
Sale a las siete quince d.	**Son las tres y cuarto** e.	**Sale a las veinte treinta horas** f.

FICHA 15

Mi vida en mi país

1. Escribe cuáles son los usos y costumbres horarios de los servicios en tu país. Toma como ejemplo la actividad 3.2. de la unidad 4.

_____

_____

_____

_____

_____

_____

_____

2. Explica lo que haces en tu país en un día de trabajo. Utiliza las siguientes palabras (conjuga los verbos en presente de indicativo):

- Tomar café
- por la mañana
- ...de la noche
- a mediodía
- abrir el correo
- preparar
- por la tarde
- ...de la mañana
- leer
- ...del mediodía
- comer

_____

_____

_____

_____

_____

_____

FICHA 16

Nuestras empresas

Nombre del alumno	Nombre de la empresa	Multina-cional	Nacional	Familiar	Tamaño: pequeña, mediana o gran empresa	Sector	Empieza su actividad en el año...	N.º de departa-mentos y personas que traba-jan en ellos	Departa-mento más importante	Otros

FICHA 17

Presentes de indicativo

VERBO	Yo	Tú	Él/Ella/Usted

FICHA 18

Vocabulario

Palabra	Explicación
La formación	
EL informe	
Los trabajadores	
El promedio	
La partida presupuestaria	
La cultura empresarial	

FICHA 19

Vocabulario

Palabra nueva	Traducción a mi idioma o sinónimo o explicación en español

FICHA 20

Conocer mejor México

En grupos de 3, tenéis que elaborar un texto sobre México con información sobre la capital, el número de habitantes, los rasgos de la población, diversos contenidos sobre su cultura, datos económicos actuales, datos geográficos, ciudades más importantes, etc. Entre todos esos datos, tenéis que incluir cinco datos incorrectos.

Para elaborar vuestro texto, podéis consultar las siguientes páginas *web* sobre México.

    www.economista.com.mx

    www.mexicocity.com.mx

    www.mexicoweb.com.mx/

¡Prestad mucha atención a toda la información que leáis, porque tendréis que descubrir también los datos incorrectos de vuestros compañeros!

Los datos incorrectos que hemos obtenido son:	*Los datos correctos son:*

Los datos incorrectos de los grupos de la clase son:

Grupo…	Grupo…	Grupo…	Grupo…	Grupo…

FICHA 21

Hoteles

Avenida Palace ★★★★★
Gran Via de las Corts Catalanes 605 (08007)

Número de habitaciones: ....
Precio habitación doble: € ....
Precio habitación individual: € ....

Céntrico · Zona comercial · Bar · Restaurante
Sala de reuniones · Sauna

Barcelona Hilton ★★★★★
Av. Diagonal 589-595 (08014)

Número de habitaciones: ....
Precio habitación doble: € ....
Precio habitación individual: € ....

Parking propio · Céntrico · Zona comercial · Lavandería · Bar ·
Restaurante · Sala de reuniones · Sauna

Princesa Sofía ★★★★★
Pl. Pius XII, 4 (08028)

Número de habitaciones: ....
Precio habitación doble: € ....
Precio habitación individual: € ....

Parking propio · Zona residencial · Lavandería · Bar · Restaurante ·
Sala de reuniones · Sauna · Piscina cubierta · Piscina al aire libre

Ritz ★★★★★
Gran Via de las Corts Catalanes 664-668 (08010)

Número de habitaciones: ....
Número de Junior Suites: ....
Número de Suites: ....
Número de Suite Real: ....

Precio habitación doble: € ....
Precio habitación individual: € ....

Parking propio · Céntrico · Room-service: 24 horas · Restaurante especia-

FICHA 22

Adjetivos y sus significados

Escribe debajo de cada dibujo su adjetivo correspondiente. Después, relaciona los dibujos por opuestos o antónimos (ejemplo: lejos-cerca).

1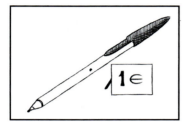

----

a.

2.

----

b.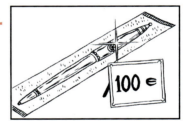

3.

----

c.

4.

----

d.

FICHA 23

Nombre del alumno	
Hotel y situación	
Relación calidad/precio	
N.º de habitaciones	
Actividades que ofrecen	
Salones de reuniones	
Opinión	
....	

FICHA 24

Hoteles para hacer negocios

En parejas, tenéis que seleccionar un hotel que ofrezca salón de reuniones para 30 personas y servicios adicionales para el tiempo de ocio (el hotel o la ciudad).

Podéis buscar la información en las páginas *web* de las autonomías que ya conocéis de la unidad 3. En ellas, tendréis que seleccionar del menú de la barra de navegación las opciones de "turismo" y "hoteles" o "alojamiento".

También podéis consultar las siguientes páginas de turismo:

Instituto de Turismo de España (TURESPAÑA):   Patrimonio Nacional:
   http://www.tourspain.es/   http://www.patrimonionacional.es

Algunas sugerencias:
- Busca la información relevante para tu objetivo.
- No intentes comprender toda la información que aparece: no la necesitas.

Hemos elegido el hotel .... de ....
Lo hemos encontrado en la dirección http://. ....
Los servicios adicionales para el tiempo de ocio son:

En el hotel	En la ciudad

FICHA 25

Logros en el desarrollo de la carrera profesional

- Elabora y escribe las preguntas siguiendo el modelo del ejemplo.
- Pregunta a tus compañeros: debes encontrar a un compañero que haya realizado alguna de estas actividades para su desarrollo profesional. Sólo puedes preguntar a cada compañero una vez.
- Toma nota de las respuestas.

Ejemplo.

✳ **Conocer a una persona importante.**
Pregunta: *¿Alguna persona importante te ha ayudado?*
Respuesta de Alan: *Sí, el director de mi escuela me ha escrito una carta de recomendación esta semana. /* o *No, hasta ahora nadie importante me ha ayudado.*

✳ **Trabajar mucho.**
Pregunta: _____
Respuesta de _____: _____

✳ **Cambiar de trabajo.**
Pregunta: _____
Respuesta de _____: _____

✳ **Escuchar los consejos de una persona.**
Pregunta: _____
Respuesta de _____: _____

✳ **Tener suerte.**
Pregunta: _____
Respuesta de _____: _____

✳ **Hacer un máster de Dirección de empresa.**
Pregunta: _____
Respuesta de _____: _____

✳ **Programar mi carrera profesional.**
Pregunta: _____
Respuesta de _____: _____

✳ **Tener el apoyo de la familia.**
Pregunta: _____
Respuesta de _____: _____

✳ **Mejorar los resultados de mi departamento.**
Pregunta: _____
Respuesta de _____: _____

FICHA 26

Logros más importantes en el desarrollo de la vida personal

- Elabora y escribe las preguntas siguiendo el modelo del ejemplo.
- Pregunta a tus compañeros: debes encontrar a un compañero que haya realizado alguna de estas actividades para su desarrollo profesional. Sólo puedes preguntar a cada compañero una vez.
- Toma nota de las respuestas.

Ejemplo.

✹ **Trabajar mucho.**
   Pregunta: *¿Has trabajado mucho?*
   Respuesta de Alan: *Sí, últimamente he estudiado todos los fines de semana.*

✹ **Tener un profesor muy bueno.**
   Pregunta: _____
   Respuesta de _____ : _____

✹ **Escuchar un consejo.**
   Pregunta: _____
   Respuesta de _____ : _____

✹ **Trabajar en asociaciones sin ánimo de lucro.**
   Pregunta: _____
   Respuesta de _____ : _____

✹ **Trabajar en vacaciones.**
   Pregunta: _____
   Respuesta de _____ : _____

✹ **Hablar con mis padres.**
   Pregunta: _____
   Respuesta de _____ : _____

✹ **Escribir mi currículo.**
   Pregunta: _____
   Respuesta de _____ : _____

✹ **Viajar.**
   Pregunta: _____
   Respuesta de _____ : _____

FICHA 27

¡Nuevas expresiones!

- Busca en el diálogo las cinco construcciones siguientes y subráyalas. ¿Las conoces? ¿Las entiendes por el contexto?

Cohesionado

He conseguido

Cultura empresarial

He pasado cuatro días

Me ha sabido a poco

- Por parejas, tachad la construcción que no tenga ninguna relación con su grupo.

1. He conseguido	He logrado	He perdido
2. Cohesionado	Diferente	Unido
3. Cultura empresarial	Estilo empresarial	Formación empresarial
4. He pasado cuatro días	Hace cuatro días	He estado cuatro días
5. Me ha sabido a poco	La comida es riquísima	He estado poco tiempo

- Comentadlo y corregidlo toda la clase.

- Vuelve a leer el párrafo correspondiente a cada una, ¿queda claro su significado?

FICHA 28

¡Más palabras!

- Subraya en el texto las palabras de la columna 1. Por parejas, comentad su significado. No se puede usar el diccionario, sólo el contexto en el que aparecen. Finalmente, completad la columna 2.

Palabra del texto	En este contexto, esta palabra quiere decir...	Seguro que quiere decir..
1. Gestión		
2. Dudas		
3. Desastrosa		
4. Se ha convertido		
5. Pesadilla		
6. Entusiasmo		
7. No lo ha mantenido		
8. Funciones		
9. Desempeñar		
10. Se desenvuelve		
11. Tareas		
12. Puesto		
13. Pésimo		
14. Protestas		

- Ahora, con toda la clase, comenta las respuestas para llegar a una conclusión para cada palabra y escribe la opción correcta en la columna 3.

FICHA 29

Para saber más

- Busca en Internet información sobre tres directores/as generales importantes de tu país. Busca tres datos o acciones importantes sobre su vida y escríbelos expresados en pretérito perfecto (he sido, has tenido, ha trabajado…). A continuación, escribe esta información en el cuadro correspondiente.
  Sigue el modelo de la actividad 7.1.

  El director/la directora de _____ :

  1. ....
  2. ....
  3. ....

  El director/la directora de _____ :

  1. ....
  2. ....
  3. ....

  El director/la directora de _____ :

  1. ....
  2. ....
  3. ....

- En grupos, explica tu trabajo y por qué se han elegido a estos empresarios.

FICHA 30

¡Para mejorar!

- Completa este tablero con las expresiones para pedir y expresar opinión, ¿las recuerdas?
  Encontrarás información en la actividad 8.2. del *Libro del alumno.*
  ¿Tienes fichas para jugar?
  Inicia la actividad 9.2. *Libro del alumno* y cada vez que utilices una de las expresiones del tablero correctamente, pon una de las fichas sobre ella.
  Gana el alumno que coloque antes todas sus fichas.

Perdón, ¿puedes repetirlo?		
	Usted quiere decir... Tú quieres decir...	
		En fin, que...

FICHA 31

¡Vivan las diferencias!

- Busca individualmente en el *Apéndice WWW* todas las páginas de México y subráyalas. Lee la información sobre ellas y selecciona tres que te parezcan que te darán información sobre la economía mexicana.
- Escribe en la pizarra la información que te pida el profesor.
- Tras la puesta en común, completa el siguiente cuadro:

La economía mexicana	Las diferencias lingüísticas...

Unidad 6: El éxito en el mundo laboral   111

FICHA 32

¿Cómo definiríamos empresa pública, empresa privada y ONG?

1. Escribe una definición junto a cada concepto.

Telefónica

TELEFÓNICA DE
ESPAÑA, S.A.
www.telefónica.es/

UNA ONG ES...

medicusmundi

MEDICUS MUNDI
www.medicusmundi.es

_____
_____
_____
_____

UNA EMPRESA PÚBLICA ES...

_____
_____
_____

unicef

COMITÉ ESPAÑOL
DE UNICEF
www.unicef.es

UNA EMPRESA PRIVADA ES...

Carrefour .es

CENTROS COMERCIALES
CARREFOUR
www.carrefour.es

_____
_____
_____
_____

RED NACIONAL DE LOS
FERROCARRILES ESPAÑOLES
www.renfe.es

_____
_____
_____

2. En grupos de 4. En el cuadro hay nombres de empresas públicas, privadas y ONG españolas, ¿las conoces? ¿Cuáles son públicas, privadas y ONG? Escribid junto a cada una lo que sabéis de ella u os imagináis que hace.
Comentad todos juntos sus opciones.

3. ¿Existen en tu país estos tres tipos de instituciones? ¿Cuáles son las más importantes? Haced un listado en la pizarra.

Comentad toda la clase a qué se dedica cada una de ellas.

FICHA 33

El pasado en pretérito indefinido

	Comentar	Vender	Escribir	Ser	Ir
1.	7.	13.	19.	25.	31.
2.	8.	14.	20.	26.	32.
3. Él/ella/usted	9. comentó	15. vendió	21. escribió	27. fue	33. fue
4.	10.	16.	22.	28.	34.
5.	11.	17.	23.	29.	35.
6. Ellos/ellas/ustedes	12. comentaron	18. vendieron	24. escribieron	30. fueron	36. fueron

vendí

comenté   vendiste

Nosotros   fuimos   fui   fuisteis

fui   Tú   comentasteis

comentamos   Vosotros   escribiste

escribimos

vendisteis   escribí   fuisteis   vendimos

fuiste   Yo   fuiste   comentaste

escribisteis   fuimos

FICHA 34

¡Nuevas expresiones!

1. Relájate y escucha los diálogos. ¡Sólo escucha!

2. Por parejas, prestad atención a cada línea y tachad la expresión que no tenga ninguna relación con su grupo.

	A	B	C
1.	**Encuesta**	**preguntas**	~~dinero~~
2.	**Ambas**	**las dos**	**color**
3.	**Me viene muy bien**	**no me gusta**	**me conviene**
4.	**Les convence**	**les gusta**	**les molesta**
5.	**Están mejor atendidos**	**el servicio es mejor**	**te esperan**
6.	**La mutua**	**ticket**	**la compañía de seguros**
7.	**Jubilación**	**retiro**	**juventud**
8.	**Póliza**	**contrato**	**policía**
9.	**El tiempo es oro**	**el tiempo amarillo**	**el tiempo tiene mucho valor**

Comentad toda la clase las dificultades y dudas.

3. Vuelve a escuchar la audición y subraya las palabras que oigas de estas listas. ¿En qué columna están?

4. Escribe una frase para cada una de estas expresiones pensando en tu experiencia personal. Usa el pretérito indefinido y las expresiones de tiempo aprendidas en la actividad 2.3.

1. Encuesta: Hace un año respondí las preguntas de una encuesta sobre consumo de jabones.
2. Ambas: _____
3. Me viene muy bien: _____
4. Les convence: _____
5. Están mejor atendidos: _____
6. La mutua: _____
7. Jubilación: _____
8. Póliza: _____
9. El tiempo es oro: _____

5. Lee a tu compañero tus frases y comentad qué paso.

FICHA 35

La actualidad económica de México, Argentina y España

Navega por la página web que te ha asignado el profesor.
Toma notas de cada uno de los temas en el espacio correspondiente. Busca información en otras páginas de Internet para poder contextualizar la noticia y complementarla.

El país sobre el que voy a buscar información es................................
La página del periódico es WWW ....

Información sobre una empresa nacional que es noticia en el periódico de hoy.	Una empresa internacional que es noticia en el periódico de hoy.
Información sobre la economía del país.	Información sobre el devenir de la economía internacional.
Información sobre un empresario nacional.	Información sobre un empresario de otro país.

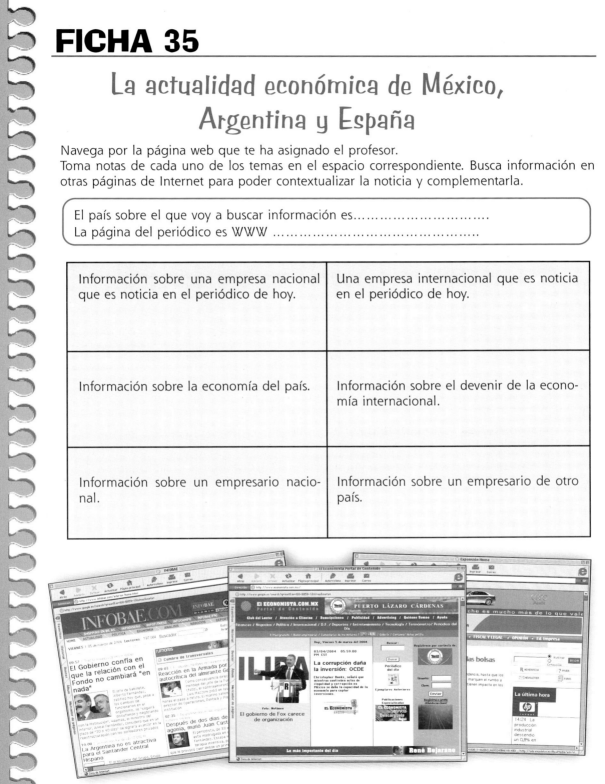

FICHA 36

La entrevista profesional

- Aquí tienes algunos temas sobre los que te pueden preguntar en una entrevista profesional. Si lo crees necesario, utiliza la columna "Otros" con algún concepto nuevo.
  Sitúa en la columna correspondiente cada una de las preguntas que hayas realizado con tu equipo.

Preguntas personales	Preguntas sobre tu experiencia profesional en otros puestos	Preguntas sobre tus habilidades profesionales	Preguntas sobre tu personalidad

Preguntas sobre tu futuro profesional	Preguntas sobre tu conocimiento de la empresa que entrevista	Otros

- ¿Has podido completar todas las columnas?
  Ahora, elabora cinco preguntas más de tu entrevista y escríbelas en la columna correspondiente.

- En la puesta en común de toda la clase sobre las preguntas, expresa tu opinión sobre las mismas.

FICHA 37

El currículo

- Lee atentamente el siguiente currículo.

  ¿En qué se diferencia con el modelo de currículo propuesto en la actividad 1.3.?
  ....
  ....

  ¿Cómo mejorarlo?
  ....
  ....

CURRICULUM VITAE

Licenciado en Diseño Gráfico
Experiencia en: Diseño Electrónico, Fotografía y Enseñanza Académica.

Áreas de interés: Diseño electrónico, multimedia, fotografía y vídeo.

Objetivo: Colaborar en la comunicación visual de manera efectiva desarrollando mis habilidades profesionales.

Datos generales:
- Nombre: Alberto Vázquez Rodríguez
- Fecha de nacimiento: 24 de septiembre de 1979
- Email: infoalberto@yahoo.com
- Email: avazquez@udem.edu.mx

Estudios Académicos:
- Titulado de la Licenciatura en Diseño Gráfico, Universidad de Monterrey (1997-2001).
- Título del Proyecto de Evaluación Final: *Diseño, integración arquitectónica e implementación de un sistema de señalética para una institución de educación superior.*

Trabajo becario: Dirección de Informática de la Universidad de Monterrey. Como instructor de cursos a empleados de la misma institución, realizando investigación de nuevos paquetes de multimedia, colaborando con el desarrollo y mantenimiento de páginas web (en todos los semestres de estudios profesionales).

Actividades extra-académicas:
Fundador, productor y locutor del programa de radio *Sushi_mix* transmitido por el 90.5 fm radio UDEM (2000-2001).

Experiencia laboral:
- SCT, Administración de servidores (verano de 1998).
- Profesor de la Universidad de Monterrey en el departamento de Difusión Cultural (1998-).

FICHA 37 (Cont.)

Experiencia profesional:
- Desarrollo de web: Century 21 Marcos (julio-septiembre 2000).
- Desarrollo de multimedia: Orozco y asociados (agosto-diciembre 2000).
- Desarrollo de imagen corporativa y web: Grupo Asshel (septiembre 2000-julio 2001).
- Diseño gráfico de manera independiente (2002-).

Reconocimientos:
- Ganador del concurso de cartel promocional del "Día de la juventud, 1999".

Cursos y entrenamientos:
- Diplomado en el taller de Cómics IV (Dibujo Manga), impartido por la Facultad de Artes Visuales de la Universidad Autónoma de Nuevo León (julio 1997).
- Participación en la III Exposición Internacional de las Artes Gráficas Mexigráfica 98.
- Seminario avanzado del programa de multimedia Macromedia Director 7 (13 al 14 de septiembre de 1999).
- Cinco pláticas con quienes hacen diseño gráfico (o están relacionados con el campo de la comunicación visual) (mayo de 1999).
- Cátedra de genética y vida humana, con el Prof. Dr. José Antonio Merino y el Prof. Dr. Maurizio Calipari (13 de noviembre del 2002).
- La escuela de la emoción (3 de septiembre del 2002).
- Estudiante del Programa de Desarrollo Humano (desde enero del 2003 a la fecha).
- Música por computadora I, Facultad de Música, UANL. (enero del 2003).
- Música por computadora II, Facultad de Música, UANL. (julio del 2003).

Cursos en el extranjero:
- English Communication Program: Pacific Gateway International College, Vancouver, B.C., Canadá (12 semanas).

Idiomas:
- Inglés: Lee: 70% Escribe: 50% Habla: 50%.

Publicaciones:
- Varios artículos sobre música y animación japonesa, y publicidad, en la revista estudiantil-académica "Nuevo foro", UDEM, Difusión Cultural.

Proyectos Asesorados:
- Tesis: El papel de la mujer en la historieta Japonesa. Para la UNAM (2002).

Exposiciones grupales:
- Exposición de arte multidisciplinario: "Proyecto: ichi, ni, san, shi" (enero 1999).

Plataformas de trabajo: PC y Macintosh.

Paquetes de computación:
- Adobe After Effects
- Adobe Streamline
- Adobe Photoshop 7
- Adobe Premier
- Adobe Illustrator
- Cool Edit 2000
- CorelDRAW
- Metacreations Poser 4
- Metacreations Bryce 4
- Metacreations Canoma
- From Z 3
- Rhinoceros
- Amorphium
- Macromedia Dreamweaver mx
- Macromedia Director mx
- Macromedia Fireworks mx
- Macromedia Flash mx
- Macromedia Freehand 10
- Microsoft Office xp
- Sonic Foundry ACID 3
- SWiSH 2.0
- QuarkXPress

http://www14.brinkster.com/albertiko/curriculum.htm

FICHA 38

En una primera entrevista

- Valora del 1 al 10 las siguientes afirmaciones desde el punto de vista del candidato y del entrevistador (1 = poco importante, 10 = muy importante).

¿Qué hacer en una entrevista?	Si eres candidato al puesto...	Si eres entrevistador...	Comentarios sobre mi país...
1. Dar la mano			
2. Ser puntual			
3. Hacer preguntas sobre la compañía			
4. Realizar la entrevista en el registro "tú" o "usted"			
5. Hablar del salario			
6. Hablar de temas personales			
7. Ir elegantemente vestido			
8. Tomar notas			
9. Mirar a los ojos			
10. Cruzar los brazos			

- En grupos de 5, mejor si pudiera ser con alumnos de diferentes nacionalidades, comentad los resultados y argumentad vuestras valoraciones.

FICHA 39

Con nombre propio

Vocabulario actividad 7.1.

Palabra nueva	Traducción a mi idioma	Definición en español

Vocabulario actividad 7.2.

Palabra nueva	Traducción a mi idioma	Definición en español

Vocabulario actividad 7.4.

Palabra nueva	Traducción a mi idioma	Definición en español

FICHA 40

Estrategias para vender más

8.A. Piensa en los supermercados o tiendas de tu país.
Completa el siguiente cuadro.

	¿Qué hueles?	¿Qué ves?	¿Qué oyes?	Otros comentarios
En mi país				

En grupos de 5, explicad lo escrito en el cuadro y comparadlo con vuestros compañeros. ¿Coinciden vuestras percepciones?

Puesta en común:
Escribe tres ideas que pueden mejorar un centro comercial del país:

1. ....

2. ....

3. ....

Puesta en común de las ideas. Seleccionad las tres mejores ideas mediante una votación.

8.B. Habla con 3 compañeros y completa la tabla siguiente.

	¿Qué hueles?	¿Qué ves?	¿Qué oyes?	Otros comentarios
Nombre del alumno: .... **País:**				
Nombre del alumno: .... **País:**				
Nombre del alumno: .... **País:**				

Puesta en común toda la clase: ¿Son iguales vuestros supermercados? ¿Curiosidades? ¿Las estrategias de venta son similares?

FICHA 41

Marcadores y partículas relacionadas con el discurso

✂

En cuanto a…	En conclusión,	Lo más importante es que…
Respecto a…	Bueno…	Lo fundamental es que…
En segundo lugar…	… en su momento…	Pues…
Hace… años	Un hecho a destacar	Usted quiere decir que…

FICHA 42

La moda

En esta unidad habéis trabajado con empresas del sector textil español. Ahora trataremos de conocerlo y profundizar un poco más.

Formad parejas y trabajad con las siguientes direcciones:

- www.cortefiel.com
- www.zara.es
- www.coroneltapiocca.com
- www.adolfo-dominguez.com

Tenéis que preparar una presentación de unos 10 minutos. El título puede ser parecido a "Cuatro empresas, cuatro estilos". Para ello, tendréis que navegar por las direcciones de Internet anteriores y recoger la información básica para orientar vuestra presentación:

	Cortefiel	Zara	Coronel Tapiocca	Adolfo Domínguez
Público objetivo				
Estrategias de marketing				
Historia (datos destacables para la presentación)				
Mensaje que transmite				
Filosofía de empresa				

TRANSPARENCIA 1

España y sus comunidades

TRANSPARENCIA 2

	Hablante 1	Hablante 2
Saludar	Hola. Hola, ¿qué tal? Buenos días.	Hola. Hola, ¿qué tal? Buenos días.
Presentar a alguien	Mira, te presento a....	¿Qué tal...? Mucho gusto. Encantado.
Presentarse	Soy...	¿Qué tal...? Mucho gusto. Encantado.
Hablar de la ciudad de origen	¿De dónde eres?	De..., ¿y tú?
Hablar de la profesión	Es... Son...	Soy..., ¿y tú?

TRANSPARENCIA 3

Las mejores ciudades para instalar un negocio

Ciudad	Para vivir			Para hacer negocios		
	1ª	2ª	3ª	1ª	2ª	3ª
Londres						
París						
Francfort						
Bruselas						
Amsterdam						
Barcelona						
Zurich						
Milán						
Madrid						
Munich						
Manchester						
Düsseldorf						
Ginebra						
Lisboa						
Berlín						
Dublín						
Glasgow						
Estocolmo						
Hamburgo						
Viena						
Praga						
Lyon						
Budapest						
Copenhage						
Roma						
Varsovia						
Oslo						
Turín						
Moscú						
Atenas						

Mapa de Hispanoamérica

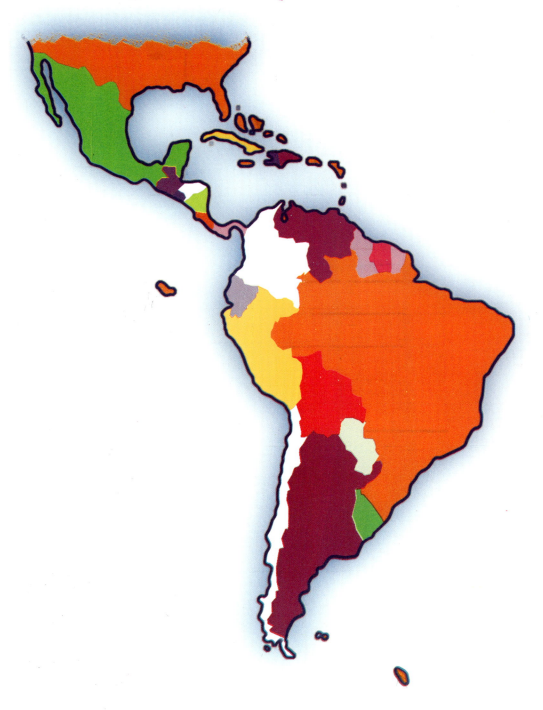

Ofertas de empleo

Promotora necesita

ADMINISTRATIVO COMERCIAL

Para Madrid Capital.

- Experiencia mínima 2 años.
- Informática a nivel usuario.

Interesados enviar Currículum Vitae al Fax 91 559 64 64 o a la C/ Veneras, nº 9 2ª Planta (28013 - Madrid)

Míele

Secretaria del Jefe de Servicio Postventa

Ofrecemos

- Incorporación a nuestra organización, multinacional líder en el sector, en nuestras oficinas centrales de Alcobendas.
- Contrato indefinido.
- Formación continuada.
- Condiciones salariales en función de la valía del candidato.

Precisamos

- Edad entre 25 y 35 años.
- Dominio del idioma alemán, leído y escrito.
- Profesional con buena formación académica.
- Buen manejo del paquete Office.
- Experiencia acreditable de al menos dos años en puesto similar.
- Persona muy organizada y dinámica, con gran capacidad de relación.

Rogamos envíen a la mayor brevedad C.V y foto, reseñando expresamente todos los requisitos a:

Training Consultores, S.L (Ref. SEC) Alberto Bosch, 5, 28014 Madrid

Fax: 91 420 17 03

e-mail:training@retemail.es

IMPORTANTE EMPRESA DE SERVICIOS, LÍDER EN EL SECTOR, A NIVEL NACIONAL

Selecciona para su dirección provincial de:

LUGO

GERENTE

Perfil:

- Formación universitaria (licenciatura).
- Edad comprendida entre los 25 y 40 años.
- Experiencia comercial en el Sector Servicios.
- Capacidad para planificar y gestionar Recursos.
- Capacidad para liderar Equipos de Trabajo.
- Facilidades para las relaciones humanas.
- Capacidad para trabajar en equipo.
- Experiencia en trabajar por objetivos.
- Imprescindible vehículo propio y disponibilidad para viajar.
- Disponibilidad geográfica.

Ofrecemos:

- Incorporación en una sólida organización.
- Contratación indefinida.
- Remuneración según valía del candidato (salario fijo más incentivos).
- Formación continuada.
- Confidencialidad en el proceso de selección.

Interesados: Enviar historial profesional manuscrito y fotografía reciente al Apartado de Correos 29.085, 28080 Madrid, indicando "REFERENCIA LUGO"

Director de zona

Capaz de promocionar y crear una red de distribución de nuestros cursos a distancia con garantía universitaria.

Requisitos

Experiencia en venta directa (seguros, enciclopedias, cursos). Dedicación exclusiva. Capacidad de organizar promoción telefónica y de ventas. Despacho o disposición de alquilar. Espíritu empresarial.

Ofrecemos

Producto de alta calidad y garantía universitaria. Formación exhaustiva en el sistema de trabajo y soporte permanente. Elevados ingresos por resultados.

E EO
La formación on-line

Interesados llamar al tel. 93 412 60 63 Atenderá personalmente el Director Comercial

Unidad 3: ¿A qué se dedica usted?

TRANSPARENCIA 6

El organigrama

Los meses del año

"Uno de enero, dos de febrero,
tres de marzo, cuatro de abril,
cinco de mayo, seis de junio
siete de julio, ¡SAN FERMÍN!
"Uno de enero, dos de febrero,
tres de marzo, cuatro de abril,
cinco de mayo, seis de junio
siete de julio, ¡SAN FERMÍN!
A Pamplona hemos de ir,
con una media, con una media,
a Pamplona hemos de ir
con una media y un calcetín."

¿San Fermín? ¿Pamplona?

TRANSPARENCIA 8

Pedir o solicitar algo:

Ser cortés:

Conceder permiso:

Pedir o solicitar algo:

quisiera

puede + *infinitivo,*

imperativo (**tome nota, añada dos zumos, permítame...**).

Ser cortés:

por favor

gracias

Conceder permiso:

imperativo: **adelante, pase.**

TRANSPARENCIA 9

Reserva en el hotel Ritz

Dirección: www.ritzbcn.com

HOTEL RITZ

Tel. (93) 318 52 00 (20 líneas)
Tel. (93) 318 48 37 (Reservas)

Rellene este formulario para hacer su reserva on line

Nombre

Teléfono de contacto   Fax   E-Mail

Fecha llegada   Fecha salida   País

Número de habitaciones   Tipo de habitación

Número de adultos   Número de niños
(0-2 años)   Número de niños
(3-12 años)

Tipo de régimen deseado: Desayuno   Media pensión   Pensión completa

Empresa   Agencia de viajes

Tarjeta de crédito   Número tarjeta

Fecha caducidad

Observaciones

Unidad 5: El ocio y el negocio

¿Qué es el éxito?

Esfuerzo

Negocio

Dinero

Empresa

Felicidad

¿Éxito?

Fama

Fin

Satisfacción

....

....

....

Unidad 6: El éxito en el mundo laboral

TRANSPARENCIA 11

¡Más palabras! Soluciones

Palabra del texto	En este contexto, creo que quiere decir...	Seguro que quiere decir...
1. Gestión		Dirección, organización
2. Dudas		Preguntas, ideas que no están claras
3. Desastrosa		Terrible, muy mala
4. Se ha convertido		Ahora es
5. Pesadilla		Mal sueño, situación estresante
6. Entusiasmo		Energía, ilusión
7. No lo ha mantenido		Ha perdido, ya no lo tiene
8. Funciones		Responsabilidades, trabajos
9. Desempeñar		Hacer algo, realizar un trabajo
10. No se desenvuelve		No se siente cómodo, está incómodo
11. Tareas		Trabajos, responsabilidades
12. Puesto		Lugar de trabajo, cargo
13. Pésimo		Desastroso, muy malo
14. Protestas		Quejas, dicen que algo está mal con mucha energía

TRANSPARENCIA 12

El pasado en pretérito indefinido

	Comentar	Vender	Escribir	Ser	Ir
1.	7.	13.	19.	25.	31.
2.	8.	14.	20.	26.	32.
3. Él/ella/usted	9. comentó	15. vendió	21. escribió	27. fue	33. fue
4.	10.	16.	22.	28.	34.
5.	11.	17.	23.	29.	35.
6. Ellos/ellas/ustedes	12. comentaron	18. vendieron	24. escribieron	30. fueron	36. fueron

TRANSPARENCIA 13

Vocabulario de economía

- ☐ Microcrédito
- ☐ Consejo de administración
- ☐ Vaivén
- ☐ Deuda externa
- ☐ Globalización
- ☐ Bancarrota
- ☐ Comercio justo

A. Variedad inestable o inconstancia de las cosas en su duración o logro.
http://buscon.rae.es/diccionario/drae.htm

B. Es un pequeño préstamo, concedido a personas muy pobres, para proyectos que generen ingresos y permitían atender a las familias. http://www.micro-creditsummit.org/spanish/

C. Es la tendencia de los mercados y de las empresas a extenderse, alcanzando una dimensión mundial que sobrepasa las fronteras nacionales.
http://buscon.rae.es/diccionario/drae.htm

D. Órgano colegiado de administración, dirección y representación de las Sociedades Anónimas que tiene las facultades no reservadas en exclusiva a la Junta General.
http://www.bolsavalencia.es/Diccionario/

E. Es la deuda emitida en moneda extranjera o divisas, lo que implica que el pago de intereses y devolución del capital se hará en la moneda establecida en la emisión o su equivalente al cambio en el momento del pago en euros.
http://www.bolsavalencia.es/Diccionario/

F. Es el conjunto de operaciones comerciales que potencian la posición económica de los pequeños productores y propietarios con el fin de garantizar que no queden marginados de la economía mundial. Consta de dos elementos principales: garantizar que los productores, incluidos los trabajadores, tengan una participación adecuada del beneficio total, y mejorar las condiciones sociales de los trabajadores en los casos en que no existan estructuras desarrolladas de servicios sociales y representación laboral (sindical por ejemplo), etc.
http://europa.eu.int/scadplus/leg/es/lvb/r12508.htm

G. Es la situación en que se encuentra una persona física o jurídica que le impide hacer frente a sus obligaciones de pago ni aún enajenando sus bienes. Es una situación similar a la quiebra.
http://www.bolsavalencia.es/Diccionario/

Unidad 7: Empresas privadas, públicas y ONG

¡Viva la feria!

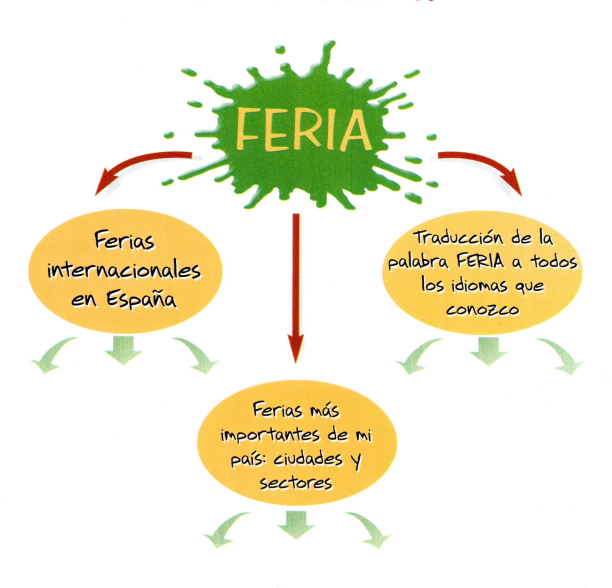

Vocabulario tarea final 7

SOCIOS

Persona o entidad que participa económicamente en una entidad con una cuota periódica.

COLABORADOR

Persona o entidad que dona bienes esporádicamente a una institución.

INGRESOS FINANCIEROS

Ingresos derivados de la titularidad de activos financieros de la empresa y de la gestión eficaz de sus excedentes de tesorería. Y un ACTIVO: es el conjunto de bienes que pertenecen a una sociedad u otra persona jurídica o física.

ADMINISTRACIONES LOCALES Y AUTONÓMICAS

España se organiza administrativamente mediante un gobierno central con sede en Madrid y 17 parlamentos y gobiernos, uno por cada comunidad autónoma; Ceuta y Melilla tienen un estatuto especial; tres comunidades autónomas históricas: Cataluña, Galicia y País Vasco, las tres con lengua propia. "LOCAL" hace referencia al gobierno de las ciudades, a los ayuntamientos dirigidos por un alcalde.

APLICACIÓN DE RECURSOS

Justificación del gasto de los ingresos.

TRANSPARENCIA 16

Palabras, palabras, palabras

	¿CONOZCO?	¿RECUERDO?	¿HE OÍDO?	¿BUSCO?	¿ASOCIO?
1. CONLLEVAR					
2. LÍDER					
3. DINÁMICAS					
4. CAMBIANTES					
5. PREDECESOR					
6. REPUTACIÓN					
7. PRESTIGIO					
8. CÓMODA					
9. SALVADOR					
10. CAER EN EL ERROR					
11. RESOLVER					
12. ASCENDER					
13. VER A... COMO					
14. CARGO					
15. DESPEDIR					
16. LOGROS					
17. OBTENER					